JN084212

ヨーロッパ文化遺産研究の最前線

著・訳

ションコイ・ガーボル

奥村 弘　根本峻瑠　市原晋平　加藤明恵

神戸大学出版会

本書の成り立ちと構成について

神戸大学大学院人文学研究科教授

奥村　弘

　本書は、2018 年の第 1 回欧州文化遺産年における EU 委員会の活動を基盤とした、同委員会の報告書 *Innovation in Cultural Heritage Research*『文化遺産研究の革新に向けて』の日本語版と、日本の読者に対して、その内容について理解を進めるための諸論考、座談会の記録などをあわせて収録したものです。

　本報告書は、当時 EU が事業として進めていた 14 の「欧州文化遺産研究」を網羅的に取り上げるというよりは、そこにあらわれるヨーロッパにおける文化遺産研究の歴史と現状、課題を緻密に分析し、論理的体系的に構成した総括的な論考とも言える内容を持つものとなっています。

　報告書の第 3 章第 3 節では、そのような分析の中から現代欧州の文化遺産の最も重要なテーマとして、（1）アイデンティティの参照点としての欧州の建設（2）コミュニティ主導の遺産保存保護と遺産管理（3）遺産解釈の多重化から生まれる社会的活動（4）参加型遺産管理とガバナンスがあげられています。この 4 つの点は、私にとっては、1995 年の阪神・淡路大震災以降の歴史資料ネットワークの大規模自然災害時における地域の歴史資料保全についての実践的研究で考え続けたことと共通するものでした。

　たとえば（1）については、阪神・淡路大震災後、現場での歴史資料保全活動の困難をもたらしたものとして「モダンな都市神戸」という見方がありました。神戸は新しい都市なので古いものはない、国宝や重要文化財に指定されているような「ええもん」はないという意見は、被災地の内外で聞かれるものでした。私たちは、地域の記憶を未来に伝える古文書からミニコミ誌、写真や民俗資料など多様な資料を地域の歴史資料として保全すると考え活動を進めたのですが、市民的な理解を得るためには、多くの説明が必要となりました。「モダンな都市神戸」という見方の背景には、近代日本の地域と国家をめぐる歴史認識の変遷が強く反映するものであることを分析し、日本史

研究会や歴史学研究会等の学会でも議論を交わしてきました。

　（２）、（３）、（４）は、大規模自然災害時の歴史資料保全においても、根幹的な課題となるものです。被災現場での活動の中で、地域の中で歴史資料の価値が認められ、地域住民がその保存や活用に関わることがなければ、膨大な歴史資料が失われてしまうという事態に私たちは直面してきました。日本社会の歴史的な展開に即して、コミュニティレベルで、そこに存在する歴史資料の価値を位置づけ、未来に向けて地域の記憶の基盤としていかに継承していくのかが、そこでは問い続けられてきました。

　阪神・淡路大震災以降の大規模自然災害時の実践的な研究の深まりの中で、市民社会構築の基礎学としての地域歴史資料学という学問領域と、地域社会で保存すべき歴史資料を地域歴史遺産として社会的に位置づけるいう考え方が提示されるようになりました。そこでは、地域住民自身が、地域の歴史資料を価値づけ、地域の記憶を未来に継承していくこと、歴史研究者をはじめ地域の歴史文化に関わる博物館学芸員やアーキビスト、文化財保存の専門家が、そのための支援を進めていくための手法が具体的に提起されてきました。

　本書の翻訳を進めようと考えたのは、一見まったく異なる状況にあるように思われる日本での自然災害時の歴史資料保全活動における課題と、ヨーロッパの文化遺産研究の課題に共通するものがあることに気がついたことにありました。その契機となったのが、執筆者の一人であるションコイ・ガーボルさん（ハンガリー系のため、原語に準拠して姓・名の順で表記）との研究交流でした。ションコイさんとの研究交流は、2018 年 11 月 29 日にハンガリーのエトヴェシュ・ロラーンド大学（ELTE）で、当時同大学の文学部長であったションコイさんやハンガリー国立博物館関係者と日本の大規模自然災害時の地域歴史資料保存活動について、ワークショップを開いたことにはじまります。

　ELTE（エルテ）との交流は、当時、神戸大学の学長補佐として中央ヨーロッパや東ヨーロッパとの国際交流を担当していた人文学研究科の油井清光教授の紹介で可能となったものです。この研究会では、油井さんと私、そして東日本大震災後、地域の歴史資料保全に重要な役割を担っていた国立歴史

民俗博物館特任准教授（現准教授）の天野真志さんが報告者として参加しました。当日、議論が盛り上がり、当初の予定時間の二倍を越えるものとなりました。当時、ションコイさんの歴史学や文化遺産研究の内容を私達が十分把握していたわけではなかったのですが、この議論をとおして、私達は、歴史遺産と歴史学に関わる課題について、共有できることが多いことを相互に理解し、研究交流を継続することとしました。

　翌2019年10月22日に開催された神戸大学ブリュッセルオフィス第10回シンポジウムでは、「文化遺産研究の包括的アプローチに向けて」をテーマにして分科会が持たれました。このシンポジウムで、ションコイさんは「遺産コミュニティが直面する現在の課題」をテーマに、本書で提示されたEUの文化遺産の現状と課題について報告を行いました。また奥村・天野・後藤真（国立歴史民俗博物館）・津熊友輔（神戸大学人文学研究科大学院生）らが、日本における大規模自然災害時の歴史資料保存、地域文化遺産研究の成果を発信するとともに、本格的にEUと日本の文化遺産についての比較研究を深めました。またこのシンポジウムの成果として、文化遺産研究の新たなプラットホームを形成するために、ELTE、ハンガリー国立博物館、神戸大学、セインズベリー日本研究所と国立歴史民俗博物館の5者協定も結ばれ、歴史文化資料の総合的なあり方などを地域の歴史資料の持つ特性と関連させながら検討することとなりました。

　具体的な研究の展開は、2019年度から始まった科学研究費特別推進研究「地域歴史資料学を機軸とした災害列島における地域存続のための地域歴史文化の創成」（19H05457、代表：神戸大学奥村弘）で進められ、その最初の成果は、2020年8月、ポーランドのポズナニで開催が予定されていた第23回国際歴史学会議において報告されることとなりました。国際歴史学会議国内委員会の提起により、日本の自然災害時の歴史資料保全に関する研究の総括的な議論の場として奥村弘・小澤弘明によるラウンドテーブルがもうけられることとなりました。コロナ禍のもとで国際歴史学会議は延期となり、2021年も再延期され、開催そのものが危ぶまれました。しかしながら、感染が少し落ち着いた2022年8月21日から27日に、ハイブリッド形式で開催されました（奥村弘「自然災害時の歴史資料の救出と保全」『歴史学研究』

1034 号、2023 年 4 月）。

　あとがきに詳細に記載したとおり、この間、私と科研担当の特命助教であっ
た加藤明恵さん、オーストリア＝ハンガリー帝国史を専門とする根本峻瑠
さんが参加し、さらに少し遅れてハンガリー近世・近代史を専門とする市原
晋平さんの 4 名が中心となって翻訳を継続的に進めました。文化遺産をめぐ
る歴史的な背景の違いや社会的な取り組み方の差異、ションコイさんの提起
した体系的な文化遺産理論についてどう理解するのかなど、日本語への翻訳
については多くの困難がともないましたが、ションコイさんとはリモートで
連絡を取りながら、意味内容の確認のみならず、具体的な課題についても議
論を重ねました。

　その結果、報告書の翻訳だけでなく、かならずしも欧州の文化遺産の状況
に詳しくない日本の読者のために、翻訳の際、課題となった様々な事柄を翻
訳の過程で、私たち翻訳グループとションコイさんの間で深め、それを掲載
するという方針を立てました。これに基づき本書全体については『ヨーロッ
パ文化遺産研究の最前線』という名称とし、報告書の全文とションコイさ
ん本人による読者の理解を助けるためのコメントを訳注として掲載しました。
また、日本と欧州の文化遺産をめぐる現状をより深く理解することをめざし
て、2021 年 10 月 20 日と 2022 年 9 月 22 日に EU と日本の文化遺産に関する
座談会をおこないました。本書では、これについても収録しています。

　さらに市原晋平さんには、報告書の内容と密接な関係を持つションコイさ
んの論文「『文化遺産』と歴史学の関係の定義」を翻訳していただきました。
さらに、本書収録の報告書と論文の内容を一層深く理解するための解題を執
筆していただきました。市原さんの解題は、ヨーロッパにおける歴史理論研
究を専門としない読者にとって、ションコイさんの持つ理論体系を理解する
ための手助けとなるだけでなく、歴史学において文化遺産に関わる領域の現
代的な意味を問うものとなっています。

　大規模自然災害時に地域の歴史資料を保全し、未来へと継承していくこと
が、地域社会存続において価値あるものであるという考え方は、現在、日

本社会の中で広く共有されつつあるだけでなく、国際的にも展開していま
す。たとえば国立台湾歴史博物館では、2017 年、前年の台湾南部地震で倒
壊し、100 人を超える死者を出したマンションの瓦礫の中から、亡くなられ
た方々の記憶に関わる遺品を学芸員が回収し、これを修復した上で、遺族の
方々に返還するとともに、その過程そのものを博物館で展示するという試
みが行われました。この動きの背景には、日本の災害時の活動や国立歴史
民俗博物館等との交流がありました。2015 年仙台で行われた第 3 回国連防
災世界会議においても、よりよい復興（Build Back Better）において、人
間中心の予防アプローチ（a more people-centered preventive approach to
disaster risk）の重要さが指摘されました。この中で、文化遺産は新たな価
値付けが行われました。ICCROM 等が主催した文化遺産部門での会議では、
ICCROM から地域コミュニティの多様な文化遺産が、予防においても、災
害からの復興過程においても重要な役割を果たしていること、貴重な文化遺
産とよばれているものだけでなく、すべての遺産が大切であることが、報告
されています。

　「文化遺産研究の革新に向けて」では、現代文化遺産論について「持続可
能性とレジリエンスの原則に従って、文化遺産の保護と文化遺産の開発（利
用）という対立する概念を和らげようとする試みがある。これは現代の政策
における文化遺産論の画期へとつながる。つまり現代の政策立案においては
文化遺産の価値が社会に重要な社会的・経済的影響を及ぼすものとして議論
されている。したがって、文化遺産の変容を適切に管理することで、文化
遺産によって表される経済的・社会的価値をより密接に統合することにより、
包摂的な社会の招来に貢献することができる。以上により第三レジームは民
主主義と幸福の源泉と考えられている」（本書 39 頁）と述べています。

　民主主義と社会福祉の基礎となるような社会の基礎として歴史文化遺産が
重要な意味を持つという視座は、最初にも述べたように、日本の自然災害時
における実践的な研究と多くの共通する要素を持つものであり、現代社会に
おいて、世界各地で、コミュニティレベルでの歴史文化の継承と新たな創造
が課題となっていることを端的にしめすものです。本書が、そこで求められ
ている多様な歴史研究者、歴史文化関係者と市民によるネットワーク形成の

一助となることを期待しています。

参考文献

奥村弘『大震災と歴史資料保存 – 阪神・淡路大震災から東日本大震災へ』吉川弘文館、2012 年 2 月

奥村弘編『歴史文化を大災害から守る　地域歴史資料学の構築』東京大学出版会、2013 年 1 月

奥村弘・村井良介・木村修二編『地域歴史遺産と現代社会』神戸大学出版会、2018 年 1 月

天野真志・後藤真編『地域歴史文化継承ガイドブック』文学通信、2022 年 3 月

目次

本書の成り立ちと構成について　　奥村弘　　*2*

解題：**現在主義、レジーム、「遺産」**
　―ションコイ・ガーボルの「文化遺産」論をより深く理解するために―
　　　　　　　　　　　　市原晋平　……………………　*10*

日本の読者に向けて　　ションコイ・ガーボル　……………………　*24*

文化遺産研究の革新に向けて
―統合的欧州研究政策のために―

欧州委員会　ションコイ・ガーボル、タニヤ・ヴァフティカリ　著
根本峻瑠・奥村弘・加藤明恵　訳

はじめに　*31*
全体要旨　*33*

1. 序論：欧州の文化遺産経験　……………………………　*35*
　　1.1　欧州の文化遺産の時間的側面　　*40*
　　1.2　欧州の文化遺産の空間的側面　　*41*
　　1.3　文化遺産のコミュニティ・関係者・ガバナンス　　*42*

2. 文化遺産の現状と背景　……………………………　*44*
　　2.1　文化遺産と学界　　*44*
　　2.2　政治と行政：世界的傾向　　*48*
　　2.3　行政による欧州文化遺産の制度化：過去、現在、近未来　　*52*

3. 現在の欧州文化遺産に関する事例的研究方法とその結果　*65*
　　3.1　欧州の文化遺産の空間的側面　　*65*
　　3.2　欧州文化遺産の時間的側面　　*69*
　　3.3　文化遺産コミュニティとガバナンス　　*71*

4. 欧州文化遺産研究のパースペクティヴ ······················ 75

4.1 欧州文化遺産の現在と近未来　75

4.2 現在の文化遺産の実践的課題　79

4.3 現在の欧州文化遺産に関する研究課題　81

付録

付録1　14の計画の概要　88

付録2　中世以来の歴史を持つ木造建築の町ラウマ旧市街（フィンランド）保全の文脈から見た3つの文化遺産レジーム　96

付録3　文化的景観としての欧州遺産認定遺跡　98

著者紹介　100

欧州連合についてもっと知りたい方へ　102

「文化遺産」と歴史学の関係の定義

ションコイ・ガーボル（訳：市原晋平）······························ 104

EU・日本の歴史と文化遺産に関する座談会

1. 文化遺産概念を中心に　······························ 130

EU・日本の歴史と文化遺産に関する座談会

2. EUにおける文化遺産の意義を中心に　························ 144

あとがき　164

解題：現在主義、レジーム、「遺産」

—ションコイ・ガーボルの「文化遺産」論を より深く理解するために—

市原 晋平

　本書には、ションコイ・ガーボル氏（ハンガリー系のため、原語に準拠して姓・名の順で表記）が、共著や論文などの形で発表した「文化遺産」に関わる論考が収録されている。ションコイ・ガーボル氏は、現在、ブダペシュトのエトヴェシュ・ロラーンド大学（ELTE = Eötvös Loránd Tudományegyetem）の人文学部の副学部長、同歴史学科教授および大学院博士課程歴史学部門主任を務める歴史学者である。彼の研究の多くは都市史の分野で展開されてきた。そのキャリアの初期には、いわゆる「歴史的ハンガリー」の一部であり、ハプスブルク君主統治下の一領邦の地位にあった18世紀から19世紀半ばまでのトランシルヴァニア侯国の諸都市を対象に、人口調査や徴税の記録などの数量的史料や都市社会に関わる様々な記録に基づき、その都市化過程や都市間関係の解明を行うなど、都市社会史や都市間ネットワーク論に分類しうる研究に従事し、このテーマでハンガリー科学アカデミーと、歴史学者の間ではアナール学派の本拠地としても知られるパリの社会科学高等研究院（EHESS）でそれぞれ博士号を取得している[1]。その後、彼の関心は、人文諸科学の知の枠組みの問い直しである「言語論的転回」、「文化論的転回」や「空間論的転回」などの諸転回の影響を受けつつ、都市遺産や文化遺産などの「遺産」概念の歴史的変遷を批判的に再検討することに向かっており、その中には、本書で訳出した論文「『文化遺産』と歴史学の関係の定義」でフォーカスされているように、「歴史」と「遺産」の関係性を

＊＊＊＊＊＊＊＊＊＊＊＊＊

1　この領域での研究業績としては、例えば、Sonkoly Gábor, *Erdély városai a XVIII-XIX. században* (Budapest: L'Harmattan/ Atelier, 2001) ; Gábor Sonkoly, *Les villes en Transylvanie moderne (1715-1857). Essai d'interprétation,* (Sarrebruck: Éditions Universitaires Européennes, 2011).

めぐる歴史理論的な考察も含まれる[2]。また、近年ではEU欧州委員会が設置した欧州遺産認定制度（EHL）の選考委員団の議長も務めるなど、学術界にとどまらない幅広い活動を続けている。本書に収録されたタニヤ・ヴァフティカリ氏との共著『文化遺産研究の革新に向けて』[3]は、EUの文化遺産政策への提言としてまとめられた報告書である。

　こうしたションコイ氏の以上の学術キャリアは、本書に収録された彼の「文化遺産」論が「文化」、「歴史」、「過去」などの認識論にまで踏み込んだ極めて理論的抽象度の高い側面を持つことからもご理解いただけるかと思われる。従来日本の歴史学科においてはやや傍流として位置付けられてきた感のある概念史や歴史理論の学問領域を足場とした研究であるだけに、本書の読者が日本の日本史研究者や文化財専門家であった場合には、ひょっとすると、多くの議論の前提や対象に対する視角、言葉遣いなどが、自分たちのそれとあまりにもかけ離れていると戸惑ってしまうかもしれない。しかし、彼の議論は日本でも近年注目が集まる「パブリック・ヒストリー」などの諸潮流との高度なレベルでの対話が可能なものでありえるため、日本の歴史研究や文化財保全に関わる人々が彼の議論への理解を深めることは、無意味ではないだろう。そして、今後のさらなる対話を準備するためには、ションコイ氏の「文化遺産」論の前提となる事項をいくらか整理しておくことが有益となるだろう。そこで、本解題では、ションコイ氏の「文化遺産」論に援用されている諸概念のうち、その重要な一部をなすフランソワ・アルトーグの「レジーム」及び「現在主義」、そして「遺産」などについて整理し、それをションコイ氏が自身の議論の中でどのように応用・発展させているかについて、ごく簡単にではあるものの紹介して行く。

＊＊＊＊＊＊＊＊＊＊＊＊＊＊＊

2　この領域での研究業績としては、例えば、Sonkoly Gábor, *Bolyhos tájaink: A kulturális örökség történeti értelmezései* (Budapest: L'Harmattan/ Atelier, 2001)；Gábor Sonkoly, *Historical Urban Landscape* (New York: Palgrave Macmillan, 2017)（以下、HUL）；Sonkoly Gábor, "A kulturális örökség és a történettudomány viszonyának meghatározása", *Korall 75,* 2019, pp. 5-21. (「『文化遺産』と歴史学の関係の定義」として本書に収録)

3　Gábor Sonkoly & Tanja Vahtikari, *Innovation in Cultural Heritage Research* (Luxembourg: Publications Office of the European Union, 2018).

●フランソワ・アルトーグの「歴史性のレジーム」論と「現在主義」

　ションコイ氏の議論においては、特殊な意味を与えられたキーワードがいくつか登場する。「レジーム（regime）」、「現在主義（Presentism）」、そして「遺産（heritage）」などである。ここでは、まず、歴史認識論の分野における「レジーム」及び「現在主義」について、それらの概念の提唱者であるフランスの古代史研究者フランソワ・アルトーグの議論を整理するところから出発したい。

　アルトーグの「レジーム」概念および「現在主義」論は、彼の主著『「歴史」の体制―現在主義と時間経験―』（原著2003年、訳書2008年）において提起された概念であり、日本語版出版直後から訳者であるフランス思想・文学研究者伊藤綾や歴史哲学研究者鹿島徹らにより解説や論評がなされてきた[4]。一方で、日本の歴史研究者の間では、アルトーグのこの議論が十分に受容されて来たとは必ずしも言えないため[5]、ションコイ氏の議論と接続する部分を中心に、ここで整理しておきたい。

　アルトーグの「歴史性のレジーム」論とは、「人と歴史の関わり」、つまり歴史認識の在り方が時代、社会、地域によって異なる点に着目し、それらを区別して特徴づけ、相互に比較検討するために考案された「問題発見」的概念である[6]。この議論はドイツの概念史家ラインハルト・コゼレックの「歴史的時間」論を下敷きとしている。コゼレックは、過去における「経験」、未来に対する「期待」のそれぞれによって影響を受けて現在が認識される時間感覚を「歴史的時間（geschichtliche Zeit）」と呼び、そうした現在に対して影響を与える「現在から認識された過去」のことを「経験の空間」、「現在から見通せる未来」のことを「期待の地平」とそれぞれ表現した。こうした時間の中では、過去＝「経験の空間」は、未来から顧みられることによって新たに意味を与えられ、未来＝「期待の地平」も、過去の経験を土台とする予期によって思い描かれる、という形で、双方の時間域は相互依存的な緊張関係の下で現在という認識を形成する。そして、人はこうした過去と未来の緊張関係の下で歴史を認識し、かつ歴史的に行為する。緊張関係を形成する経験（＝過去）と期待（＝未来）は「歴史を認識する条件」であり、また「現実の歴史を可能とする条件」であるとコゼレックは位置づける。そして、コゼレックは、「歴史的時間」における経験と期待の緊張関係の変容を基準に

して、時代区分を行う。曰く、ヨーロッパにおける「前近代」では、先行世代も後続世代も基本的に同じような経験を行った（／今後も行う）と想定されており、未来を予期するための参照点として経験（＝過去）がより重視された。この時代においては、未来への期待は過去の経験に対応して導き出されていた。例えば、ルネッサンス期の古典古代を参照軸と考える態度が、まさにそれにあたる。しかし、コペルニクス的転回、ヨーロッパ勢力の海外進出による世界各地の異民族との遭遇、産業構造の変化による身分秩序の崩壊などのドラスティックな変化に直面し、それまでの過去の経験から予期できない科学的・技術的、社会的、政治的な様々な出来事が生じた結果、未来への期待が過去の経験を参照する余地は狭まり、同時に「期待の地平」（＝未来）から過去の経験を振り返り、それに新たに意味を与えることの重要性も限定的となっていく。「経験」と「期待」の関係性にこうした分裂が生じ、18世紀末には「進歩」の概念が成立したことで、歴史は、人類が到達するべき計画された未来への過程と捉えられるようになっていく。進歩史観やマルクス主義史観がそれにあたる。このような、時間を認識する際に未来への期待に

＊＊＊＊＊＊＊＊＊＊＊＊＊＊＊

4 フランソワ・アルトーグ（伊藤綾訳・解説）『「歴史」の体制―現在主義と時間経験―』藤原書店、2008年。同書やアルトーグの学術的位置づけについては、以下の解説、書評、インタビューなどが詳しく、本稿におけるアルトーグ理解もそれらに多くを負っている。伊藤綾「訳者解説」アルトーグ前掲書、371-382頁；フランソワ・アルトーグ『〈インタビュー〉歴史を問う歴史家―『歴史』の体制をめぐって―』『環』第36号、2009年、54-61頁；鹿島徹「時代診断としての「現代主義―フランソワ・アルトーグ『「歴史」の体制』をめぐって―」『早稲田大学大学院文学研究科紀要 第1分冊：哲学 東洋哲学 心理学 社会学 教育学』第56号、2011年、3-18頁。

5 もちろん、日本の歴史学者がアルトーグの議論を完全に無視してきたわけではないことは付言しておく。例えば、近代フランス史や歴史理論を専門とする小田中直樹は、近年刊行された一般読者向け歴史学解説書にてアルトーグの「歴史性のレジーム」論を、歴史を捉えるスタンス（「過去主義」、「未来主義」、「現在主義」）として紹介し、歴史教科書の記述方式の分析視角として援用している。また、ドイツ史研究者の小原淳らは、アルトーグの「歴史性のレジーム」論を援用して議論を展開したクリストファー・クラークの研究を翻訳している。小田中直樹『歴史学のトリセツ』筑摩書房、2022年、第1章；クリストファー・クラーク（小原淳・齋藤敬之・前川陽祐訳）『時間と権力――三十年戦争から第三帝国まで』みすず書房、2021年。

6 鹿島前掲論文、7頁；伊藤前掲論文、372-373頁。

準拠する時代を、コゼレックは「近代」と位置付ける[7]。

　アルトーグは、コゼレックが以上のように区分した「前近代」を過去の範例を手掛かりに事件が理解され、未来が過去を超えることがない過去準拠の時代としての「歴史性のアンシャン・レジーム（旧体制）」と呼び、また、コゼレックにおける「近代」を、歴史の「進歩」という単数的秩序に基づいて、過去の出来事の中に到来すべき未来の予兆が読み取られ、現在が未来によって方向づけられる未来準拠の時代としての「歴史性の近代レジーム」と呼ぶ[8]。ここで言う「歴史性」とは、各時代や社会における歴史や時間の捉え方のことであり、「レジーム」はその中でも支配的な認識様式を指し示す言葉として用いられている。

　さらにアルトーグは、コゼレックの歴史的時間論を発展させ、「現在」という時間をも前近代や近代とは異なる固有の「歴史性」を特徴とする時間と位置付ける。アルトーグによれば、「現在」とは、18世紀末以来の「歴史性の近代レジーム」を秩序付けていた「進歩」の観念が20世紀末の冷戦の終結（＝「大きな物語」の消失）とともに失効し、輝かしき未来のビジョンに頼ることができなくなった時代であり、それと同時に、一見伝統を重視して復古を叫ぶ原理主義的主張も、近代において「捏造された過去」や「創られた伝統」に依拠していることから、過去の経験が正当な準拠枠として復活したわけではない時代でもある。つまり、コゼレックが近代の終焉に、過去の経験の豊かさが取り戻され、未来への期待がより多くの人にとって開かれたものとなる理想的状態を想定したのとは異なり、アルトーグは、「現在」を「危機の時代」と診断する。その時間認識においては、過去は忘却されないとはいえ現在を生きる我々に方向性を示しもせず、未来を想像させる何かを引き出してくれるわけでもなく、一方で、未来ははっきりと見通せず、姿も形もない。過去も未来も準拠枠として失効し、残された「現在」のみが準拠枠となりう

＊＊＊＊＊＊＊＊＊＊＊＊＊＊

7　鹿島前掲論文、7-9頁。アルトーグ前掲書33, 45頁など。こうしたコゼレックの議論を一つの前提とした立論は、本書で掲載されたションコイ氏の文章にもしばしば登場している。アルトーグやションコイ氏が特に注目するのは、近代的な「歴史的時間」の感覚が「現代」においてさらに変容＝消失したという問題である。

るこうした時代の「歴史性のレジーム」にアルトーグは「現在主義」(Presentism)という名を与える。

　過去も未来もなくした「現在」は、しかし静止することはなく、時間の流れの積み重ねにより、動態的に更新されていく。人々は、生活と社会システムにおいて自己充足することを許されず、消費、労働＝生産、知識＝情報などの様々な場面で不断の刷新とそれへの適応を強いられ、次々と「新しい現在」へと前のめりに駆り立てられていく。そして、過去も未来も意味を失った結果、「歴史的時間」という時間感覚は存在しえなくなり、「現在主義」というレジームにおいては、過去そのものの在り方やその探求に意義を見出す歴史（学）は失効する。「歴史性の近代レジーム」と「現在主義」両方の時代を生きた経験を持つ読者の中には、現代に対するアルトーグのこのような診断に首肯される方も多いのではないだろうか[9]。

　いずれにせよ、こうしたコゼレックの議論も含めた時間や過去事象への認識の違いに基づく時代区分に、ションコイ氏は序文をはじめとする本書のいくつかの場所で言及し、「現在主義」を自身の議論における重要な要素として位置づけている。

●「現在主義」の時代における「遺産」とションコイ・ガーボルの　　「文化遺産」論の特徴

　アルトーグが「近代レジーム」から「現代主義」へのレジーム転換を象徴するものとして注目するのが「遺産」(patrimoine)（そして、ここでは取り上げないが、「記憶」[10]）という概念であり、フランスにおいてこの言葉が

＊＊＊＊＊＊＊＊＊＊＊＊＊＊＊＊

8　アルトーグ前掲書、168、171-172頁；鹿島前掲論文、13頁。
9　アルトーグ前掲書、27、48頁；鹿島前掲論文、14-16頁；伊藤前掲論文、375頁。
10　「記憶」については、ピーエル・ノラの「記憶の場」やアライダ・アスマンの「想起の文化」などの先駆的な議論の紹介もあり、すでに日本でも現代歴史学の重要な概念と位置づけられている。特に近現代史の文脈では記憶を扱う歴史研究が活況を呈している。例えば、加藤有子編『ホロコーストとヒロシマ：ポーランドと日本における第二次世界大戦の記憶』みすず書房、2021年；剣持久木編『越境する歴史認識―ヨーロッパにおける「公共史」―』岩波書店、2018年；橋本伸也編『紛争化させられる過去―アジアとヨーロッパにおける歴史の政治化―』岩波書店、2018年。

1980年代以降、過去に関わる思考や行為を支配するカテゴリーになったという事実である。アルトーグは、本来司法上の概念として「私的な物質的財産」を意味して古くから用いられてきた「遺産」という語の意味内容の歴史的変遷に注目し、「遺産」が近代以降、国家、地域などによって保護されるべき対象物として制度化され、「遺産」を保護する動きが活発化していくことや、とりわけ20世紀後半以降、自然環境や文化にまで対象を拡大して「遺産」という言葉が用いられるようになるとともに、人類全体から個人まで、様々な集団のアイデンティティの象徴としてそうした「遺産」について語る言説が登場したことを指摘する。これらの現象は、過去の産物に目を向けている点で過去を重視する「歴史性のアンシャン・レジーム」に規定された態度のように見えるとともに、「遺産」の未来における存続を目指す保全運動は未来志向の「歴史性の近代レジーム」に属するようにも見える。しかし、アルトーグによれば、ここで問題となる過去は、未来のために準拠すべき経験ではなく、その「遺産」を重視する集団のアイデンティティの維持や構築にとって意味のありうる「可視化の形式が現代において重要であるような過去」（現在からみて理解可能な形式を備えた過去）である。また、それを保護しようとする動きが現代において生じるのは、未来が予期できない状況にあり、現在の集団にとって重要なものが将来的に失われてしまうかもしれないというアイデンティティ上の憂慮や危機が生じているためである。そのため、ここでの未来は「近代レジーム」の約束された輝かしい未来ではなく、「現在主義」的な、何が起こるか見通せない不安に満ちた未来である。こうして、過去から受け継がれた有形の記念碑や自然・文化などの「遺産」の意義は、現在の特定集団のアイデンティティにとって有用か否かを基準として判断される傾向を強めるとともに、現在から未来が見通せないがゆえに「遺産」の現在の価値が将来的に失われることが危惧され、その保護が重視されるようになる。こうした「遺産」のあり方は「現在主義」のレジームにおける典型的な現象として位置づけられる[11]。

　アルトーグによる以上の議論は、ションコイ氏の立論においても前提となっているものである。「遺産」の対象が、有形遺産に加えて「無形文化遺産」、「自然遺産」、そして「歴史的都市景観」など、現代において多様化している

ことや、「遺産」がコミュニティのアイデンティティ構築に影響を及ぼすものと位置付けられていることなどを現代において支配的な「現在主義」的な時間認識の様式の特徴と捉える点などに、それが顕著である。ションコイ氏の「遺産」論は、それにはとどまらず、アルトーグの「遺産」をめぐる議論をより発展させたものだと言える。その中で中心的に扱われるのは、遺産言説の変容に関わるより精緻化された時間区分である3つの「遺産のレジーム」の設定や、フランス以外の遺産をめぐる言説や現地での動向などを交えた比較検討、そして、歴史学と「遺産」との関係の再検討である。

①「遺産」のレジーム

　ションコイ氏の議論においては、「遺産」概念の発展は、「歴史性の近代レジーム」から「現在主義」の時代にかけて、3つの局面として把握される。元々、英仏で相続対象となる私的財産を意味していた遺産が、近代化された国家の法制度の中で国家や地方自治体によって保護されるべき有形の財産（記念建造物や文化財）を指す言葉としても規定されるようになる「遺産の第一レジーム」（1800年代〜1960年代）。UNESCOにより国際的な文化遺産保護が成文化され、世界遺産という枠組みが登場する「遺産の第二レジーム」（1960年代〜1990年代）。「世界遺産」概念が登場した結果、従来「遺産」という言葉に保護すべき重要な文化財や記念碑という意味合いを与えておらず、その役割を別の言葉が担っていた国々や地域（例えばドイツ語の「記念碑」（Denkmal））でも、この第二レジーム以降、遺跡や記念碑、文化財及びそれらの保護をめぐる制度や実践において「遺産」という概念が徐々に浸透し始めた。学術的な用語としても「遺産」はこの時期から普及が始まった。そして、遺産認定の対象が多様化した「遺産の第三レジーム」である（1990年代〜現

＊＊＊＊＊＊＊＊＊＊＊＊＊＊＊

11　鹿島前掲論文、14頁。アルトーグ前掲書、133-135、253-314頁。なお、アルトーグは、ヨーロッパにおける「遺産」概念の自明性を揺さぶることを意図して、伊勢神宮の「式年遷宮」や「人間国宝」などの日本における文化財の扱いについて言及することで、物質としての連続性（真正性やオリジナルな状態の保持）ではなく、技術や知の伝承を重視する態度に基づくオルタナティブな「遺産」との向き合い方を例示している。同書、257-259頁。

在）。このレジームにおいては「世界遺産」概念が西洋的価値観（国家とい
う単位、トップダウン型の遺産認定など）に基づくものであるとして批判に
晒され、それにともない、国民・国家にとどまらない様々なアイデンティティ
をよりどころとする様々な集団が様々な形態の対象物をボトムアップ方式で
「遺産」として主張し始めた。ションコイ氏によれば、「文化遺産」などの新
たな概念を含むこの第三レジームの「遺産」こそが、「現在主義」の時代を
特徴づける「遺産」概念である。2000年代以降、例えば、従来、遺跡や記念碑、
文化財などの有形物を対象に認定されていた「世界遺産」は、技能や文化活
動を含む「無形文化遺産」、自然・環境を保護対象に定めた「自然遺産」、都
市部の記念建造物や特定区画、そこでの文化や周辺環境を融合させた「歴史
的都市景観」などの「都市遺産」をはじめ、多様な指標によって評価される
ようになっていった。「遺産」の対象が多様化したことにより、上からでは
なく下からの声の拾い上げが重視されるようになり、「遺産」保護に関わる
アクターも社会的により多様化・増加する傾向にある。その新しいアクター
たちの中には、少数民族、性的少数者、移民、女性、下層階級の個人／集団
などのマイノリティも含まれる[12]。

②「遺産」とのかかわりに関する地域比較

　「遺産」概念が18世紀末以降何らかの対象への制度的な保護と関連付けら
れてきた英仏と、そうではないそれ以外の地域が存在することから、ション
コイ氏の議論では、「遺産のレジーム」の諸段階に相当する時間の長さは、地
域ごとに異なり、「遺産」概念とその保護対象との関連や概念的変化の在り方
も一定ではないものとして位置づけられる。そのため、フランス一国の事例
に関心が向かいがちなアルトーグの「遺産」論とは異なり、ションコイ氏の
議論の中では、それぞれの地域が有する文化財・記念碑保護の伝統や保全対
象範囲の違いなどに留意しつつ、「遺産」とその管理者との関係や保護の在り
方の地域的特徴を比較検討することにも、一定の紙幅が割かれている[13]。例え

＊＊＊＊＊＊＊＊＊＊＊＊＊＊＊＊

12　HUL, p. 155; 本書「日本の読者に向けて」25頁及び「『文化遺産』と歴史学の関係の
　　定義」、104-107頁。

ば、ショ ンコイ氏は英語で刊行された著書『歴史的都市景観』(2017) にお
いて、ウィーンの都市景観の「世界遺産」認定プロセスの中でウィーン都市
自治体や地域住民が果たした役割やその過程で生じた「遺産」概念の変容と
拡張に注目し、「歴史的都市景観」という、建造物などの有形物と自然・環
境や文化とを一体と捉える、「現在主義」の時代に新たに登場した「総合的
な遺産概念」について論じている[14]。また、現在ショ ンコイ氏はヨーロッパ
のみならずアジア、アフリカ、南北アメリカなどの「世界遺産」認定を受け
た都市を対象として、その保護や「遺産」活用の在り方を比較検討する国際
共同研究を主導しているという。

③「遺産」と歴史学

　「遺産の第三レジーム」において、様々なアクターたちが自らのアイデン
ティティと関わる何らかの事物や習慣などの文化的要素を「遺産」として主
張していく際、このアクターたち（遺産コミュニティ）はそれぞれの歴史認
識に基づいて声を上げる。そこで問題となってくるのが、遺産と結びつけら
れる過去と、歴史（学）との位置関係である。過去にまつわる認識を「歴史」
と「遺産」に分類する捉え方は、ショ ンコイ氏の議論の特徴の一つである。
　この場合、「歴史」とは、歴史学などの学術的手続きを経たうえで確立さ
れた、史料批判を経た過去であり、「遺産」とは、学術的な批判検討にさら
されていない過去に関わる「通俗的な」認識や語り全般を指す。そうした「遺
産」には、歴史学の検証の対象とは従来みなされず、時には史料的裏付けや
歴史的妥当性がないものとして無視されてきた「過去」についての物語も内
包されている。とは言え、ショ ンコイ氏によれば、「現在主義」の特徴を持
つ現代において、研究者・専門家の狭いサークル以外の一般的な世界で圧倒
的に影響力を有しているのは、むしろ「遺産」的な過去認識の方である。「現
在主義」の世界においては、過去は、もはや歴史学や歴史学者の占有物では
ない。その手を離れた「遺産」的過去は特定の個人やコミュニティの視点か

＊＊＊＊＊＊＊＊＊＊＊＊＊＊＊＊

13　本書「『文化遺産』と歴史学の関係の定義」115-124頁。
14　HUL, Chapter 3.

らそれぞれにとって有意義かつ都合の良い形で構成・消費され、個人や集団がその過去と現在とのつながりを強調することによって、自らのアイデンティティ構築に役立てようとするケースも少なからず存在する。例えばこうした過去に対する多様な認識は、政治家や企業家が現在の政治・経済的利益を念頭に置きつつ行う過去に関わる発言の中に[15]、あるいは、大衆により消費される観光や祭り、映像作品やゲームのような娯楽の中に[16]、様々な形で見出すことができる。

　こうした「現在主義」における過去認識の在り方に対して、ションコイ氏は、例えば歴史家の仕事は史料に基づく過去の再構成のみであり、そのような現在における過去認識は専門外であるため関わるべきではない、などと都合よくディシプリンに引きこもる「禁欲的」態度も、歴史学的な「正しさ」を振りかざし、「遺産的過去」の「誤った」認識を修正して回ろう、という強硬な態度も取らない。その代わり、今後の課題として、歴史学の専門家による「遺産」についての学問的研究の蓄積、「遺産研究」の学問水準の向上、歴史家が「遺産」に何らかの形でより積極的にかかわることなどを提唱する。ションコイ氏いわく、言語論的転回や文化論的転回などに代表される諸転回を通じた知的枠組みの刷新は、人文学・社会科学諸分野の内部には多大な影響を与えたものの、学術界の外の非専門家の間にはその複雑な認識論的知見は浸透せず、お互いの乖離を深める結果となった。過去認識においても、批判的に検討された歴史は、アイデンティティ構築のためにその過去を再解釈しようとするコミュニティや社会的アクターの立場に疑問を突き付けるものでもありえたため、「遺産」をめぐる動きに参加する当事者たちからは無視され、こうした人々の語りにおいては「遺産」的過去が採用されるようになった。「遺産コミュニティ」内部やその外部との間での論争の中には、歴史（学）的な参照文献が全く、あるいはほとんど使われておらず、過去をめぐる政治の実践にとどまるものも見られる。そこでは専門家としての歴史家は、問題となっている過去の批判的検討とは別の役割を果たすことを求められるか、

＊＊＊＊＊＊＊＊＊＊＊＊＊＊＊＊

15　HUL, pp. 106-107.
16　本書「日本の読者に向けて」24頁

あるいは無視されるかのどちらかだという[17]。こうした状況下で、ションコイ氏が重要と見なすのは、その乖離に対する専門家からの歩み寄りや関与を通じた、学術界とその外部との関係性の再定義であり、両者による「共創的文化遺産実践」である[18]。それは、批判的文化遺産研究の方法を用いて「遺産コミュニティ」の過去認識を点検し、根気強い対話を通じて歴史学の観点からも、また、より広い範囲の人々にとっても受け入れ可能な語りへとそれらを軟着陸させていくために協力することかもしれないし、「遺産コミュニティ」の認識に寄り添いつつ、その語りに関わる歴史的事実を掘り起こすことによってコミュニティのアイデンティティを下支えする作業であるかもしれない。ションコイ氏自身は、「文化遺産研究の革新に向けて」にもある通り、EUが定める「欧州遺産」の認定に歴史家または文化遺産研究者が、積極的に関与する必要性を提唱している。これらの専門家のそこでの役割はその内省的（reflective）な方法を駆使して、欧州の過去を、「欧州歴史の家」プロジェクトが目指したようにトランスナショナルな要素や多様性の重視などの価値の側面から見ても意義のある歴史として再定位し、排他性が低くポジティブな諸要素を伴った参照点となりうる欧州アイデンティティを立ち上げることに寄与することである[19]。欧州という枠組みをいまだ形成中のものと捉え、重要な課題として欧州アイデンティティの構築を掲げる彼の提言は、「歴史性の近代レジーム」の終焉とともに失われた未来への目標—それがより慎ましい形であったとしても—復活させ、「現在主義」の時代としての現代における先の見えない状況を乗り越えることを意図した一つの方法であると捉えることができるだろう。

　以上の特徴を有するションコイ氏の議論の中でも、特に「歴史と遺産」と

＊＊＊＊＊＊＊＊＊＊＊＊＊＊＊＊

17　HUL, p. 106, 147-148; 本書「文化遺産研究の革新に向けて」35-37頁;「『文化遺産』と歴史学の関係の定義」、108-110頁、115-116頁。
18　HUL, pp. 160-161; 本書「文化遺産研究の革新に向けて」、44-48頁、81-84頁 及び「EU・日本の歴史と文化遺産に関する座談会　1. 文化遺産概念を中心に」、134-136頁。
19　本書「文化遺産研究の革新に向けて」60-64頁、71-74頁、88-95頁など 及び「EU・日本の歴史と文化遺産に関する座談会　2. EUにおける文化遺産の意義を中心に」、152-156頁。同様の立場は2022年9月の来日時に開催された講演会でも表明された。

いう言葉によって語られる問題系やその問題に取り組む手法の検討は、近年、日本でも例えば歴史理論[20]、パブリック・ヒストリー[21]、歴史実践[22]、偽史言説[23]などの研究潮流において議論されてきた諸領域とも関わるものだと評価できるかもしれない。歴史学の在り方とその非学問的領域との境界について、ションコイ氏とも近い問題意識の下、日本で研究を深めてきたこうした研究者たちとも必要であれば連携しつつ、ションコイ氏との対話や議論を今後も継続していくことには意義があるだろう。歴史学というディシプリンとその「外部」との関係を、歴史学の立場から考え抜いてきた研究者たちが、ションコイ氏の議論をいかに受け止めるのか、また、彼ら彼女らが議論に参入することによって、日本における歴史資料や文化遺産をめぐる諸研究にはどのような発展が見通せるのか、気になるところである。

　ションコイ氏の議論からは、EU圏における文化遺産と専門家及びコミュニティとの関係性、ならびにその現状の課題に向きあう際の学術的態度について、多くを学ぶことができる。彼が選考に関わる欧州遺産など、EUにおける文化遺産に関わる多様な取り組みを概観したい読者は「文化遺産研究の革新に向けて」を、歴史学やその周辺領域としての「遺産」という過去認識についての理論的考察への理解を深めたい読者は「『文化遺産』と歴史学の関係の定義」に目を通していただきたい。彼の「歴史と遺産」に関わる実践や理論をめぐる問題提起の紹介が、日本においても歴史研究者、文化財研究者、その他の学問領域やコミュニティのそれぞれの立場や主張・認識をすり合わせ、各アクターが具体的な諸課題に共創的に取り組んでいくための刺激となることを期待したい。

＊＊＊＊＊＊＊＊＊＊＊＊＊＊＊＊

20　岡本充弘、鹿島徹、長谷川貴彦、渡辺賢一郎編『歴史を射つ―言語論的展開・文化史・パブリックヒストリー・ナショナルヒストリー―』御茶の水書房、2015年；岡本充弘『過去と歴史――「国家」と「近代」を遠く離れて』、御茶の水書房、2018年。
21　菅豊、北條勝貴編『パブリック・ヒストリー入門―開かれた歴史学への挑戦―』勉誠出版、2019年。
22　歴史学研究科会『歴史実践の現在』續文堂出版2017年；成田龍一『歴史像を伝える ―「歴史叙述」と「歴史実践」』岩波書店、2022年。本書監修者の奥村弘氏や彼が代表を務める歴史資料ネットワーク関係者も歴史実践のプレーヤーと位置付けられる。
23　小澤実編『近代日本の偽史言説―歴史語りのインテレクチュアル・ヒストリー―』勉誠出版、2017年；小澤実ほか〈特集〉今を映すもう一つの歴史記述：偽史・オカルト・歴史実践』『史苑』第81巻第2号、2021年、37-112頁。

日本の読者に向けて

　学問的な議論でも欧州の研究資金助成事業でも、今や「遺産（ヘリテージ）」と「革新（イノベーション）」という2語はつきものとなっています。これは欧州に限った話ではありません。この2語は21世紀初頭における世界的な社会的・文化的現象を体現することばです。高齢化社会では各人が過去に関する様々な個人的記憶を持っていますが、遺産という観念は各国が高齢化社会と化していく中で過去というものが持つ絶大な人気を示しています。20世紀とは違い、未来はバラ色ではない中、こうした過去は非常に魅力的です。今や未来は暗澹たるもので、気候変動、人口過密、パンデミック、資源の枯渇といったものに脅かされています。ゆえに過去と各人がそれぞれに思い描く過去への郷愁が力を持つようになり、歴史（過去を慎重かつ学問的・専門的に解釈したもの）はかつてのような過去の唯一の語り手としての地位を喪いました。想像された過去と個々人の記憶が個人／集団のアイデンティティの中核となり、政治的・経済的に使用／悪用されるようになりました。政治的記念行事は数も規模も増大し続けています。過去のゲーム化やメディア化は未曽有の規模で行われています[1]。このように過去を記憶に基づいて使用／悪用することに関しては、「遺産」ということばの方が「歴史」よりも広い意味で使うことができるでしょう。

　「遺産」が過去の多様化を適切に表す概念であるのと同様に、「革新」は未来の多様化を適切に表します。近代の巨大なイデオロギー（社会主義、共産主義、自由主義、保守主義等）もその支配的言説も、どうやら未来を保証することはできませんでした。未来と私たちとの関係は、控えめかつ先が読みにくいものとなったのです。こうした中、「革新」という語は、企業、教育

* * * * * * * * * * * * *

[1] 「過去のゲーム化やメディア化」とは、ゲームや各種メディアで「過去」が遍在的に扱われるようになったことを意図した表現である。例えば歴史や過去にまつわる事象がゲームのモチーフとして頻繁に登場したり、過去を題材にしたコンテンツが各種メディアに取り上げられたりする流れを指す。

文化機関、行政の様々なところから持ってきた個人的／地域的な材料を用い、個人ないし地域／コミュニティが未来を決定する可能性を示します。高等教育の観点からいえば、革新（と遺産）という概念の到来は新たな規範を意味します。これは近現代における大学のあり方の3つ目をかたちづくるものです。かつて研究を基本（19世紀初頭〜）としていた大学は大衆化し（1970年代〜）、今や「革新」が合言葉となるに至りました。産学連携が求められているわけです（第三の任務と呼称されることも多くあります）。運が悪ければ、各大学は国からの予算が削られた分を民間から集めなければならないこともあるでしょう。しかし欧州高等教育研究エリア[2]では、研究資金助成事業は新たな研究を触発し各国の既存のリソースを増大させることが求められています。こうした事業では斬新で分野横断的で部局を超えた研究が推奨されますが、本書で紹介する事業は、まさに研究に適した条件・方針となっている欧州の助成事業の賜物である革新的研究の貴重な例です。

　歴史家としての立場からすると、「遺産」と「革新」という現在の時間感覚は同時並行的に増殖していく過去像と未来像を特徴とし、常に移ろいゆく存在であるように映ります。誰かが新しく参入すれば[3]、過去についても未来についても、それぞれの解釈を持ち出すようになっています。自らの声を伝えられる以上、これで満足する人も社会には大勢います。しかしそれは同時に、過去解釈ないし未来予測が往々にして競合し、不安定さを増していくことでもあります。

　このように全体として世界的に不安定性が増していくことにより、「安全」という語がカギとなり望まれるようになります。こうした流れで「遺産」と「革新」が人気を博すのは、この2語が記憶に基づいたアイデンティティと、

2　欧州連合加盟国およびパートナー国（ノルウェー、英国、イスラエル、トルコ、バルカン諸国、アイスランド、リヒテンシュタイン他）を対象とする領域。パートナー国間の教育制度（ボローニャ・プロセス、エラスムス・プラスなど）の調整、教育・研究の流動性強化が目される。

3　ここでいう新たな参入者とは、現在抑圧状態にある（もしくは過去そうであった）と感じている人々を想定している。具体的には民族的・性的マイノリティ、移民、女性、下層階級の個人／集団である。

未来に対する見通しの両者が多様化していることを示すだけでなく、これら
に関する社会問題の多くに対する解決策をどう探すかという取り組みをまと
めあげるからです。安全の追求について、フーコーは生権力論でその起源か
ら正確に述べていますが、安全の追求は近代国家を求める動きと軌を一にし
ています。フーコーの近代化論がいまだに有効なのは、終末論（階級のない
理想上の社会や「歴史の終わり」）に走っていないからというだけではなく、
安全の確保が絶え間なく行われ磨きがかけられていく動きを近代化の焦点に
位置づけているからです。このような過程は極めて重要であり、また安全保
障社会を目標とする権力機構は、近現代社会を理解する上で人文学・社会科
学にとって重要な手がかりとなります。

　ここにこそ歴史学の果たすべき役割があります。歴史学は包摂的な学問で
あり、多様な変化についていける学問であることを過去2世紀に渡って示し
てきました。20世紀初頭の第一の危機に際しては学際的に変容できましたし、
その後も新しい方法論を取り入れてきました。現時点で最大の問題は他の社
会科学ではなく「遺産」がもたらすもので、それにより歴史学者は社会に接
近することが求められています。ここでいう社会は非常に感情に流されやす
く、打ち捨てられた「期待の地平」と増大し相反する「歴史的経験」の間に
落ち込んでしまったように思われます[4]。またこの社会は（意識的にではな
くとも）グローバルなものでもあります。その意味で私たちが直面している
課題は世界規模の課題といえます。「歴史的経験」の中に埋没しているとい
う感覚は、グローバル化こそ不安定化の主要因であるとして、グローバル化

＊＊＊＊＊＊＊＊＊＊＊＊＊＊＊

4　（訳者注：ここではドイツの歴史家であるラインハルト・コゼレックのモデルが使用
　　されている。コゼレックは『過ぎ去った未来』(1979)で、未来に対する期待である「期
　　待の地平」と過去にあった経験である「経験の空間」が相互に影響を与え合うことを
　　論じた。）コゼレックが現代的かつ未来志向的な時間概念が未来の地平を決定すると
　　捉えているのは明らかである。イデオロギーや体制による差異はあっても、（社会主義、
　　自由主義、共産主義、保守主義といった）特定のイデオロギーによって定められる地
　　平があるのは同じである。こうしたイデオロギーが生み出した未来への期待が地平線
　　上に配置されるのである。問題は、（たとえば実態を検討することで）過去の経験が
　　そうした地平を裏付けることが皆無に近く、期待は画餅のままとなっていることであ
　　る。

批判に結び付きやすいものです。またこの感覚は栄光の歴史を懐かしみ、地域や国家の過去を美化することにもつながります。

　かつて歴史学は、研究を主眼とする大学やアカデミーにおいて、ナショナル・アイデンティティを構築し、過去の経験に基づいて民族／国家の将来を予測するため、国家によって制度化されました。今、歴史学は、競合・多様化するアイデンティティについて落ち着いた議論をし、予測される未来の選択肢の中から最善のものを選び出す上での一助となる必要があります。その第一歩は文化遺産をまとめあげることです。文化遺産は今（文化遺産研究というかたちで）学問性を高めています。一方で歴史学は、本書で述べられるような多くの現代的な諸分野というかたちで「社会性」を高めています。歴史学における現在の欧州の研究状況を分析することは、アイデンティティや共通の文化がいかにして環境・社会・経済・文化的問題の中で構築されているのかを明らかにします。民主的価値観に基づき、人々を安心させるような「期待の地平」を作り出し[5]、人々の幸福を尊重し気に掛けることは歴史学者の重要な使命です。この意味で日本は欧州と問題や解決策を共有し、欧州の仲間であるといえます。本書が日本においてこうして出版されていることが示すように、本書で提示される説明、モデル、問題は日本のみなさまにも大きく関係するところです。本書が提示する問いへの解答、歴史学という学問の再定義、さらには人文学・社会科学へと文化遺産研究を統合する動きは、グローバルに、また地に足をつけて行われるものだと確信しています。

　9月の神戸滞在では、批判的／内省的な過去解釈と曖昧な遺産的過去解釈の間の関係性が、日本においても実に重要であるという認識を新たにしました。この関係性は、グローバルヒストリーのテーマとして興味深いものとなりえます。日本には歴史学の優れた伝統があります。遺産に対する日本独自のアプローチは、無形遺産という概念の発展を通じて世界に影響を与えまし

＊＊＊＊＊＊＊＊＊＊＊＊＊＊＊

5　歴史家・知識人は「地平」の提案を放棄すべきではない。19-20 世紀に見られた巨大なイデオロギーに基づく地平のように野心的なものではなく、例えば民主化、連帯、参加、自然への配慮、現在のアイデンティティを構築するための過去についての批判的内省といったものに基づく地平を提示することができる。

た。また、日本が持つ比較的長いまちづくりの伝統は1960年代以降の西ヨーロッパで起こった遺産構築や都市計画における民主化のプロセスと酷似していることを知りました。日欧で用語が異なる可能性があり、慎重な翻訳と考察は欠かせませんが、扱っている現象は思った以上に類似しています。この意味で現代日本と現代ヨーロッパは非常に近いといえます。だからこそ、過去解釈とその社会的受容に関する共通の問題を、共に研究し、議論していくべきであると確信しています。奥村弘教授、長坂一郎神戸大学人文学研究科長、市原晋平先生、村野正景先生（京都府京都文化博物館）のご厚意とご招待により、内省的で知的に開かれた良識ある日本の方々と知り合うことができました。みなさまと今後も研究を続けられることは望外の喜びです。本書が内省的遺産研究の確立に寄与し、世界の歴史学者に認められることを願ってやみません。

於神戸　2022年9月
ションコイ・ガーボル

欧州委員会

ションコイ・ガーボル、タニヤ・ヴァフティカリ 著

文化遺産研究の革新に向けて
—統合的欧州研究政策のために—

根本峻瑠・奥村弘・加藤明恵 訳

Innovation in Cultural Heritage
– For an integrated European Research Policy

European Commission
Directorate-General for Research and Innovation
Directorate B -- Open Innovation and Open Science
Unit B.6 -- Open and Inclusive Societies

Contact   Zoltán Krasznai
E-mail   zoltan.krasznai@ec.europa.eu
          RTD-PUBLICATIONS@ec.europa.eu
European Commission
B-1049 Brussels

Printed by Publications Office in Luxembourg.
Manuscript completed in January 2018.

This document has been prepared for the European Commission, however it reflects the views only of the authors, and the Commission cannot be held responsible for any use, which may be made of the information contained therein.

More information on the European Union is available on the internet (http://europa.eu).

Luxembourg: Publications Office of the European Union, 2018
Print   ISBN 978-92-79-78020-2   doi:10.2777/569743   KI-01-18-044-EN-C
PDF   ISBN 978-92-79-78019-6   doi:10.2777/673069   KI-01-18-044-EN-N

はじめに

　文化遺産は現在に生きづく過去と私たちとをつなぎます。私たちの思考、アイデンティティ、環境、暮らしている場所も文化遺産がかたちづくっています。欧州の文化遺産は比類ないものであり、多様性に富んだものです。好奇心を育み、創造性を刺激し、日常生活のあらゆる面について閃きを無尽蔵に与えてくれます。人々とコミュニティの間の橋渡し役でもあります。今、文化遺産は存立の危機に直面しています。汚染や気候変動のように環境的な脅威だけでなく、意図的な破壊のように人為的な脅威もあります。しかし幸運にも、技術的革新によって、文化遺産を保存・共有するかつてない機会が生まれました。

　欧州連合加盟国には文化遺産を保存する責任がある一方、欧州連合もまた各国の国民に対して文化遺産が保護され価値を高められていくようにする責任を負っています。欧州連合の研究・イノベーション大綱基金であるHorizon 2020により、文化遺産保護、修復、活用に関する数多くの計画の支援が可能となり、研究者は文化遺産保存・保護の新手法や技術の開発が可能となりました。同時に文化遺産を活用した新たな雇用の創出、持続可能な観光産業の開発、教育の改善、都市と地方の景観保全も進められています。2018年の欧州文化遺産年European Year of Cultural Heritageは、こうした計画の成果を評価する機会であり、文化遺産保存に携わる全ての人々が将来を見据える機会でもあります。また将来の世代のために欧州と世界における文化遺産保存を促進し、一般人にも身近なものとするための政策像を議論する好機でもあります。

　観光業と技術的革新によって、各地の文化遺産を国境や大陸を超えて保存・共有していく可能性が開かれました。例えば作曲家のコダーイ・ゾルターンがカルパチア山脈で1913年に民謡を収集したことは、伝統音楽遺産の保存に間一髪で成功した試みでした。20世紀末には外界と隔絶されたハンガリーの農村でごく少数の年配の女性たちにしか知られてもおらず歌われてもいなかった歌が収集され、現代のハンガリーの歌手たちとフランスの作曲家によっ

て生まれ変わりました。1995年には『マルタの歌』として世界的なヒット曲となり、グラミー賞を獲得しました。

　欧州連合は文化遺産保存に取り組む個人や団体を支援しています。本報告書の目的は、現在進行中の文化遺産保存計画の評価と、文化遺産保存政策についての公的な議論に貢献することにあります。欧州連合が資金を提供した研究・イノベーションプロジェクトのうち、文化遺産保存に関するものから成果の実例を紹介します。また、欧州遺産認定制度 European Heritage Labelのような欧州や世界における他のプロジェクトとのつながりの中で各プロジェクトの研究成果を論じます。そのため、本報告書で浮かび上がってくる考察は欧州連合の文化遺産保存政策を改善し調整していくための議論に広く及びます。文化遺産は私たちが私たちであるために不可欠な存在であり、これからの欧州を形作っていく上で決定的な役割を担います。文化遺産を守り、育てていきましょう。そして何より、ともに楽しんでいきましょう。

カルロス・モエダス
　欧州委員会委員（研究、科学、イノベーション担当）

ティボル・ナブラチッチ
　欧州委員会委員（教育、文化、若者・スポーツ担当）

全体要旨

　本報告書の基盤は2018年の第一回欧州文化遺産年である。欧州文化遺産年の設定は、欧州文化遺産が形成途上にあり、重大な局面を迎えていることを反映したものである。欧州文化遺産年の特質は、文化遺産という概念の拡大、学際的研究の強化、文化的多様性への意識の向上、文化遺産に関する多様で時に競合する主張といったものにある。何が肯定的で可変的なアイデンティティの要素となるのかを確定する上で欧州文化遺産の持つ潜在的可能性は大きく、また文化遺産研究・教育は寛容かつ民主的で参与しやすい社会づくりに貢献する、というのが本研究の立場である。

　諸々の意識調査によれば、圧倒的多数の欧州市民が文化遺産を重要視しており、文化遺産は欧州連合全体にとって平等に価値があるとみなされていることがわかっている。欧州の文化遺産と関連活動が雇用を創出していると考える人々の割合も同程度の高水準である。しかしながら、文化遺産に対して公的機関がもっと予算を割くべきであるという意見もおよそ4分の3に上った[1]。こうした文脈において、文化遺産と欧州というものの重要性に対して文化遺産が果たす役割の大きさは、欧州遺産週間European Heritage Days、欧州文化遺産大賞EU Prize for Cultural Heritage、欧州遺産認定制度、さらに最近では欧州文化遺産年といった計画のもと、欧州各地の研究機関によって認識されてきた。

　本書で特に重点的に扱うのは、社会における文化遺産の重要性と、文化遺産が持つ社会的結合の強化、経済成長、持続可能な開発への潜在的可能性を理解する上で社会科学・人文学的研究が果たす役割である。諸研究の研究成果については、欧州遺産認定制度や最近開館した欧州歴史の家House of European Historyのような欧州や世界の他の文化遺産保護計画との関連で考察する。そしてFP7並びにHorizon 2020の支援を受けてなされた成果につい

＊＊＊＊＊＊＊＊＊＊＊＊＊＊＊＊＊

1　Special Eurobarometer 466（2017）on cultural heritage

て述べるとともに、欧州連合が資金提供をしている文化遺産保護研究の最先端を紹介する。本報告書は、第7回・第8回欧州連合研究・イノベーション大綱（Horizon 2020）の進行中あるいは完了済みの14の文化遺産関連プロジェクトの成果を主に取り扱う。様々なプロジェクトを関連付け、科学的・政策的な文脈を広く考察し、2020年以降の欧州における研究の適切な研究大綱を作成するための提言を行うが、その際には現在の文化遺産の概念と、それに対応する文化的、社会的、経済的、環境的な課題の双方を考慮に入れる。

　本報告書の最後では、将来に向けた具体的な提言について述べる。欧州連合が継続的な資金提供を行いながら欧州の文化遺産研究を進めていく必要性が政治的・社会的・科学的に高まっている。文化遺産研究が欧州の研究大綱の様々な部分に散見されるとしても、従来の作業計画と提言の要請は、文化遺産に関する欧州の研究政策の制度上の個別細分化およびテーマ的断片化を十分に克服できておらず、依然として発展の余地が大いにある。そこで文化遺産を2020年以降の研究課題の中に適切に位置づけ、研究対象を明確にして変化をもたらすことができるような規模で文化遺産研究を行っていくことが必要となる。全体論的な研究課題を設定し、包摂的な学際的アプローチを取り、利害関係者や各国の国民にとってはもはや時代錯誤である制度上の個別細分化を克服するのに役立てるべきである。

　欧州の文化遺産に関する学術面での協力の拡大を目指す革新的な政策をこのような全体論的研究課題に付随させる上で、現在の学界と世間が抱く関心は追い風となっている。欧州各地に存在する欧州文化遺産講座European Cultural Heritage Chairsのネットワークの認知を高めることは、前進への第一歩だろう。欧州文化遺産講座は、欧州の文化遺産を指定し、研究し、照らし出すための、文化遺産に対する重要なアプローチを取るのに優れているのみならず、学際的な共創を可能とする方法論にも優れている可能性がある。2020年以降の欧州の研究大綱内における研究とイノベーション関連テーマを定義することにより、欧州文化遺産講座のネットワークは現在の文化遺産研究の経験を学界と教育界へと転用することができるだろう。

1　序論：欧州の文化遺産経験

　2018年の第一回欧州文化遺産年の準備作業は、本報告書の重要な背景となっている。欧州文化遺産年はアイデンティティ形成の危機に直面する現在の欧州において文化遺産の重要性が制度的に認識された証であるだけでなく、欧州市民が共有する文化遺産の可能性と課題を評価する注目すべき試みでもある。これらの複雑な課題を研究することは、欧州連合全体、各国、および地域の各レベルにおいてより良い教育、文化、社会その他の政策に向けた論拠と助言を提供することでもある。

　2000年代以降、欧州連合の文化遺産研究支援は著しく増加した。「遺産」という概念は常に拡大し続けているため——現在のところ「遺産」には自然遺産、文化遺産、有形・無形遺産、都市と地方の地域と景観、観光地、創造経済の場 places of creative economy[2]、デジタル化された古文書他が含まれる——実際のところほとんど全ての学問分野が関わる領域となっている。従来他の学問分野の研究対象だったものも文化遺産研究のテーマとなってきているが、単に文化遺産の持つ社会的・政治的可能性が新たに認識されただけというわけではない。ここに至るまでには数十年に渡る重要な認識論的転換（言語、文化、空間他に関するもの）[3]があり、人文学・社会科学における概念的・方法論的革新がもたらされた。その結果として、人文学・社会科学は科学的調査においてのみならず、社会的有用性と民主的価値を代表する役割という観点からもいっそう重要性が高まった。ゆえに現在の欧州文化遺産を吟味するにあたっては、以下の各項目を考慮に入れる必要がある。

＊＊＊＊＊＊＊＊＊＊＊＊＊＊

2　以下本翻訳においては、一般の読者にとって分かりにくいと思われる個所に訳注を付す。可能である個所については、執筆者の一人であるションコイ氏本人によるコメントを翻訳したものを記載する。創造産業について、ションコイ氏は以下のように補足している。「創造産業は個人の創造性、知識、技術、才能から生まれ、知的財産の活用を通じた富と雇用の創出が可能である。文化遺産という観点では、美術品・工芸品、建築、博物館・美術館、図書館、パフォーマンス遺産、文化観光における遺産関連活動が含まれる。同様に、文化観光の目的地としての遺産、博物館・美術館での参加型イベント、遺産に基づいた歴史地区再生も創造経済の場といえる」（ションコイ）

・文化遺産は、アイデンティティ形成に際して継承、選択、使用されたあらゆるものを含み、複雑な調和のとれた統一体へと再配置する。これはアイデンティティ形成の諸段階（地域のレベルから普遍的なレベルまで）で常に議論の対象となっている。
・欧州の文化遺産は地域のレベルから普遍的なレベルまで様々な段階で構築／再構築される。競合する解釈に従ってアイデンティティが形成されることは多いが、文化遺産についても競合する解釈が様々に存在する。つまり、「お墨付きを与えられた遺産言説」が多数併存しているのである。
・欧州の文化遺産を社会的、政治的に作り上げ使用することは、上記アイデンティティ形成における社会科学と人文学の研究者の役割を必然的に再定義することとなる。批判的かつ慎重な研究の伝統は貴重な財産であり、革新的なアプローチと方法論を通じて継承されねばならない。

　既存の文化遺産研究に代わる、総合的で新しい文化遺産研究[4]では、文化遺産の全体論的解釈、文化遺産の定義と使用が顕在化させた現代アイデン

＊＊＊＊＊＊＊＊＊＊＊＊＊＊＊＊

3　「文化的転回・言語論的転回は、1970年代・80年代に世界規模で人文学と社会科学に大きなパラダイムシフトをもたらした。両者は関連しており、同義語は多い（新しい歴史、新しい博物館学といったような、基本的には「新しい」で始まる語）。文化的転回は米国から始まり、言語論的転回はフランスに端を発する。ポストモダン運動に関連していて、その認識論的根拠は19世紀-20世紀初頭のパラダイムを脱構築することにある。19世紀-20世紀初頭のパラダイムは、ナショナリスト的、ヨーロッパ中心主義的、差別的であると考えられ、また客観的知識を誤って信奉しているといえる。文化的転回・言語論的転回によって文化的アイデンティティと解釈が学術分析の新たな焦点になる。特定の政治的出来事を指すものではなく、人文学と社会科学に新風を吹き込むものである。しかし1968年の様々な運動、1971-73年の石油危機、1989-90年の共産圏の崩壊といったものにより、大きな影響を受けた」（ションコイ）
4　原文ではintegrated and innovative cultural heritage research.「イノベーションは現在の学術的・科学的言説における重要な概念である。この語は学術研究が経済や産業の利害関係者とかかわりを持つべきであるという（あるいは共同で研究ないし設計されるべきであるということまでの）事実を指す。革新的研究innovative researchとは、学術成果が社会的・経済的に直接的に使用され、影響を与えるような実用的研究を指している。文化遺産は行政により定義され、また文化財や文化活動の使用に始まるため、実用性が高い。そのため文化産業、機関、政治の意思決定者とのつながりを持てるため、革新的innovativeでもある。これは文化研究の実践版であるといえる」（ションコイ）

ティティ形成の複雑さを検証する適切な方法論、適切な共創的技術が組み合わされる。これによりアイデンティティ形成とその科学的評価を批判的に検証することが可能となる。本報告書の目的は、FP7とSC6/Horizon 2020（詳細については付録を参照）の社会科学・人文学分野の14のプロジェクトに基づき、今後の文化遺産研究の可能性と問題を見据えつつ、このような総合的で新しい欧州文化遺産研究が確立された背景を考察することである。中心は以下の通りである。

・欧州と世界の国際的な政治的・行政的傾向と、関連分野における近年の研究手法を踏まえ、現在の文化遺産概念を紹介する。
・行政による欧州文化遺産の制度化について要約する。
・文化遺産研究に関する14のプロジェクトの手法と結果をテーマごとにまとめる。欧州の基準文書、政策手段、FP7とHorizon 2020の要請、本報告書で取り上げるその他のプロジェクトに見られる欧州の価値観を明らかにするためである。
・近い将来における文化遺産研究の展望について述べる。

　元来、文化遺産という概念は学術的というよりも行政的なものである。しかし文化遺産概念が包含する範囲が拡大したため、文化遺産は近年非常に多様なかたちで制度に組み込まれ、学術的に認知され、一方で社会科学と人文学には研究を通じた社会貢献が期待されている。こうした相互作用は新たな文化遺産レジームを作り上げる可能性がある。そこでは文化遺産と社会科学・人文学の双方が相互の関係を定義しなければならない。「レジーム」という表現は、特に文化遺産の歴史に関連して、現代の社会科学と人文学で使われることが多い。この用語は普遍的なものから地域的なものまで、文化遺産が政治的に確立されてきた諸段階における文化的・社会的変化を区切るのにはうってつけであると考えられている。文化遺産概念が近年拡大したため、現レジームの特徴は遺産の創出と「文化的資源の可能性ならびに所有権とその結果として生じる責任の問題」とが重なり合っていることにある（Bendix et al, 2012: 13）。現在の（3番目の）文化遺産レジームは、以前の行政制度の

発展に取って代わるものではなく、むしろ包摂するものである（付録2を参照）。

・第一レジームでは各国で遺産保護規制が行われた。これは文化遺産保護が国際的に成文化されるまで続いた。ただし第一レジームの間にも重要な「遺産のトランスナショナリズム」がある。第一レジームでは、欧州の多くの言語において「文化遺産」cultural heritageないし「遺産」heritageに相当する用語ですら、国家あるいはコミュニティが所有を主張する文化的財産を表す用語として使用されることはまれであった（1800年代頃−1960年代）[5]。

・第二レジームでは文化遺産が国際的な基準で初めて制度化された。第二レジーム中、文化遺産を認定していたのは主にユネスコとユネスコ関連機関である（1960-90年代）。

・第三レジームでは文化遺産の概念が拡大し、重要性、数量、要素が増加したことによる新たな制度化を見た（1990年代−）。ここまでの時期区分は欧州の歴史に基づくものであるが、ポストコロニアル的解釈でも同様の結果を得ることになる（Alsayyad, 2001, 3-4）。

　文化遺産を共有する構想は欧州連合の黎明期に既に存在していたが、集中的にかたちづくられるには第三レジームを待たねばならなかった。第三レジームで文化遺産概念は現在と同等の複雑さに達し、保護志向（客観志向）的アプローチから価値指向（主観志向）的アプローチへの転換が発生し

＊＊＊＊＊＊＊＊＊＊＊＊＊＊＊＊

5　第一レジームはおよそ170年に及び、極めて長く設定されている。この理由については次の通り。「ここでのレジーム区分は文化遺産の概念的な歴史に基づく。文化遺産とは拡大し続ける概念であり（モニュメントや文化財、自然遺産、遺伝子、絶滅危惧種、文化的・社会的活動、宗教も無形遺産に含まれる）、第一レジームは以下3つの理由により期間が長大になる。(1) この期間、遺産概念に大きな変化はなかった。この頃でいう「遺産」は基本的にモニュメントや文化財を意味し、この時期の後半になって国立公園が含まれるようになった程度である。(2) 遺産をめぐる議論がまだ国際的なものになっていなかった。遺産保護のための国際的なパラダイムを定義するための試みは僅かに存在したものの、実態は国民国家単位のものであった。(3) この時代区分の主な対象は英語圏とフランス語圏の諸国である。この時期、文化遺産はまだグローバルな概念でも汎西洋的な概念でもなかった」（ションコイ）

た。第三レジームでは、歴史的環境の包摂的性質が有形文化遺産と無形文化遺産を統合すると見なされている。持続可能性とレジリエンスの原則に従って、文化遺産の保護と文化遺産の開発（利用）という対立する概念を和らげようとする試みがある。これは現代の政策における文化遺産論の画期へとつながる。つまり現代の政策立案においては文化遺産の価値が社会に重要な社会的・経済的影響を及ぼすものとして議論されている。したがって、文化遺産の変容を適切に管理することで、文化遺産によって表される経済的・社会的価値をより密接に統合することにより、包摂的な社会の招来に貢献することができる。以上により第三レジームは民主主義と幸福の源泉と考えられている（Lazzaretti, 2012, 229-230）。

　第一・第二レジームは文化遺産を原則的に記念碑として保護しようとしていた。しかし第三レジームの新たなパラダイムによれば、文化遺産は、地元のコミュニティに認識されることによって、連続した時間（持続可能性、レジリエンス、経年変化の管理他）と連続した領域（所在地や文化的・都市的景観のようなコミュニティベースの認識や所属といった空間的範疇による）の中に浮かび上がる。コミュニティは文化的多様性の守り手であり、それゆえに文化的価値観の守り手でもある。学問的言説にはつきものであるが、文化遺産概念の進化はパラダイムシフトを曖昧にすることが多いため、文化遺産レジームの連続的推移を硬直的に理解するべきではない。文化遺産の統合的概念も、以前の概念を包摂していることが多い。現在の使用法とは矛盾す

＊＊＊＊＊＊＊＊＊＊＊＊＊＊

6　「現在の使用法とは矛盾する概念」については、次のような補足がある。「真正性という概念が非常に良い例といえる。「有形遺産」の真正性は専門家の評価に基づいたもので、修正はあっても再構築は許されていないからである。このような方針は「無形遺産」の真正性とは対照的である。無形遺産の場合、その概念と原則は遥かに柔軟で、真正性は遺産コミュニティによって決定され、しかも経時的に変化していく可能性を持つ。両者の真正性は全く異なるものであるが、いずれの場合もユネスコ公式の認定基準となっている。現在の文化遺産論において真正性がこのような二重性を持つことは、政策決定者（特に政治家）がヨーロッパにおけるモニュメント保護のこれまでの成果と原則を無視したり軽視したりする可能性を生むため、有形遺産の保存にも大きな影響を及ぼす。モニュメント保護の専門家や学者から批判があっても、政治家は遺産論を利用し、この問題に介入して政治目的のために遺産を使用（再構築／再解釈）することを正当化できるのである」（ションコイ）

る概念[6]であっても含まれているのである。文化遺産の現在の概念の特徴とその研究を歴史的背景と将来の使用の見通しという観点から明らかにするため、本報告書では次の3つの指標を使用する。

1.1 欧州の文化遺産の時間的側面

現在主義[7]（Hartog, 2015）は文化遺産概念の通時的発展を考察する上で有用である。現在主義の起源は、伝統的な時間概念が漸進的に消滅し、未来志向の近代主義者的時間概念に取って代わられたことにある。現代の哲学、科学、政治、社会的思考におけるこの未来志向の近代主義者的時間概念は、過去数十年で弱体化した[8]。人類の未来予想がますます悲惨なものとなり、現在こそが時間の参照点として圧倒的に重視されるようになったのである。したがって、過去2世紀の文化遺産保護は、16世紀から21世紀までの500年を超える現代の時間認識の構築と解体の一部として解釈することができる。この意味で文化遺産は、数種類の時間概念を包含しているため、人々の時間認識の傾向を示すものであるといえる。例えば記念碑保存の伝統は、過去の要素の保存を目的としているため、理論上は本質的に反近代主義的である。しか

* * * * * * * * * * * * * *

7 「現在主義」は日本語では耳慣れないことばであるが、これについての補足は以下の通り。「広く使用されているものではないものの、現在主義という概念は欧州の学界ではよく知られている。フランスの歴史家アルトーグが2003年に提唱した概念であり、その著作はハンガリー語（2006）、ポルトガル語（2013）、英語（2016年）に翻訳されている。ラインハルト・コゼレックの「歴史的時間 historical time」を発展させた概念である。ヨーロッパが16-18世紀に初めて近代的／歴史的時間を構築したとコゼレックは述べている。近代的／歴史的時間は、過去ではなく未来に焦点を合わせたもので、伝統的時間と対置される。現在主義はポストモダニズムあるいは未来に焦点を合わせたモダニズムに対する幻滅が生み出したものである。未来は予測不可能で恐怖さえ覚えるものとなっているからである。この考え方に立つと、我々は数世紀に及ぶ近代化で過去と断絶している以上、選択肢は現在しかない。こうした過去への郷愁が、文化遺産の圧倒的人気の理由の1つである」（ションコイ）

8 アルトーグはこの現象を次のように説明している。「未来はまだここにあり、知識獲得の手段は情報革命によって信じられないほど増加したにもかかわらず、未来予測はかつてないほど不可能になっている。というよりむしろ、私たちは未来予測を放棄したといえる。［未来への］計画も展望も未来学futurologyもすべて挫折した。私たちは今この瞬間に即時に対応することに没頭している。戯画に描かれる政治家のような即応が求められているのである（Hartog, 2015b, p. 9）」。

し同時に、技術に基づく未来志向の実践という点では近代主義的である。しかし現在主義者的時間概念は第三レジームの中核でもある。第三レジームは社会的・環境的な持続可能性という錦の御旗の下で文化遺産の損失と劣化を食い止め、またレジリエンスというラベルの下で文化遺産コミュニティの生存を整えることを目的としている。

　何を文化遺産とするかを関係者が選択し、景観の連続性に基づいて都市遺産を再定義することは、記念碑保護地域の時間的階層構造を置き換え、文化遺産の時間性を継続的かつ動的に解釈することを可能にする。第三レジームでは、地域の文化遺産コミュニティの社会的・文化的行為という観点から、最近の人工物あるいは都市区画であっても、当該地域が擁する最古の建物ないし記念碑、歴史地区と同等の価値を持つことができる。そのため、産業、軍事、その他20世紀の数多くの新しい文化遺産が優位性を持つ可能性もある。第三レジームの現代性の特徴は持続可能性とレジリエンスであるが、文化遺産に対する期待の水準が下がったことと体験に対する意識が高まったことも第三レジームの特色である。遺産を体験することは、アイデンティティ形成に感情という評価軸が誇りをもって統合されたことであるだけでなく、文化的・社会的遺産を専有することの個人的・全体論的な解釈でもある。

1.2 欧州の文化遺産の空間的側面

　従来、記念碑や遺跡としての文化遺産の領域は、（有形）文化遺産と自然遺産を別々に捉えるパラダイムにおいて、記念碑保護の専門家によって決定されていた。人工／自然の区分は後に導入され、文化遺産は段階的に保護されていった。文化遺産保護の第三レジームでは、遺跡と地域は社会的観点と使用によって決定される「場所」と「文化的または都市景観」を担うアイデンティティとして、文化人類学的な意味合いを帯びた用語と結び付けられることが多くなってきている。文化遺産は文化遺産に関連する無形活動を行うための場を必要とするコミュニティによって公開される。「ローカリスト」と「グローバリスト」の政治的・イデオロギー的対立では、アイデンティティ形成には、名称、象徴、儀式の場としての文化遺産が必要とされる。結果と

して、欧州もまた文化遺産の場に根を下ろす必要がある。一方で文化遺産の場は「シミュレートされた欧州の仮想現実」を「誰一人として所属しない」欧州へと置き換えることで、欧州の構築と価値観の中核をローカル化し、認めるのである（Johler, 2002）。またその一方で「ローカルな欧州」の場所と風景は、「ローカル」と「グローバル」の傾向と解釈を実践的に結びつけることにより、欧州を再区分化および再歴史化することができる。例えば欧州の都市と都市遺産は欧州化の担い手であり、都市景観、平和条約、欧州文化の中心として文化的差異化を起こした主体でもある。欧州文化遺産の位置する場所は、脱領域化・脱歴史化された欧州[9]（Abêles, 1996）のアイデンティティの完成または最終的な置換に貢献し得る。ここでいう欧州は、欧州連合を恒常的な「継続的過程」の中にあり、「成長」「近代」「未来」を表し、「推移する欧州」の「動的な比喩」によって特徴づけられる「未完の建設現場」として表現することで現れる（Löfgren, 1996）。

1.3 文化遺産のコミュニティ・関係者・ガバナンス

遺産保護は、コミュニティが文化的財産の保護において個人の権利を制限する法的権利を表すために規定されてきた。遺産保護を通じて、コミュニティの集合的アイデンティティは自身を定義し表現するための補完的要素を獲得した。当初の個人的権利の制限で恩恵を受けたのは、引き続き重要な役割を果たしていた国家建設の当事者たちであった。第二次世界大戦後、文化遺産保護が国際的に標準化され（トップダウン方式）、階層的に行われるように

＊＊＊＊＊＊＊＊＊＊＊＊＊＊＊＊

9 「ここでいう『欧州』は欧州連合を指す。欧州連合は政治的・経済的連合として設立されたものであり、共通のアイデンティティ／文化の構築は目標ではなかった。その理由は、（1）欧州連合は欧州に共通するアイデンティティ（キリスト教、民主主義、啓蒙他）を自明視していた。（2）文化とアイデンティティは国民国家の領分だった。結果として欧州連合は、アイデンティティ形成のために何か（場所や出来事）を習慣的に参照することのない、欧州市民にとって中立的な政治的・経済的組織となった。この意味で欧州連合は欧州市民にとって「脱領域化」および「脱歴史化」されているといえる。そしてこれは意図的なものであった。第二次世界大戦後欧州の建設は、暗い遺産に目を向けるという不快な行為を避けるために未来に焦点を合わせていたが故である」（ションコイ）

なったことは、新たな世界的な紛争を回避し、各国が平和な未来を確保することを意味していた。さらに最近では、第三レジームの文化遺産コミュニティは、自らの遺産とその領域をより自律的に定義することになっている。しかし経済的理由から、地域社会には二重の期待が寄せられている。一つには文化遺産の内部における継承を担保し、もう一つには文化遺産を商品へと変える外部の視線（文化を求める観光客他）に対して自らを開放することである。理想的には、地元の文化遺産を認識することは民主化と統合につながる可能性があるが、権威主義的風潮のある社会において過去が無批判に使用される可能性もある。文化遺産の概念的拡大と制度化は、社会科学・人文学の学術的検証に常に準拠しているわけではない。そのため現在のポピュリスト的・反外国人的なアイデンティティ形成が、過去を学問的に管理しそこから学ぶことを避けるために文化遺産を悪用する危険性もある。

2. 文化遺産の現状と背景

2.1 文化遺産と学界

　遺産研究は、美術史、考古学、建築学、歴史学、保存研究、博物館学、文化人類学、民族学 ethnology、記憶研究、文化地理学、政治地理学、観光学、社会学、経済学といった分野の研究者が集う、学際的で異業種的な分野である。遺産研究は学際的研究であり、研究者の関心は多岐に渡る。物理的な取り扱いや保存法と価値づけに関心がある研究者もいれば、遺産を一つの現象として説明したいと考えている向きもあった。今日「批判的遺産研究 critical heritage studies」と呼称されるものは、1980年代に特にイギリスでの遺産の社会的、政治的、経済的利用に対する学術的関心に端を発する。新たな愛国主義的語り neo-patriotic narrativeとナショナリズムの意識を生み出そうという政府による「伝統の創出」(Hobsbawm, 1983)、ポスト産業社会における中産階級への郷愁としての包括的な「遺産社会」(Hewison, 1987)、「偽史としての遺産」(Lowenthal, 1985) に対し、歴史研究者と社会学者が中心となって対抗したものであった。誕生以来、遺産研究とは何を指すのかという問題についての議論は百家争鳴である。遺産の概念化方法は国によって異なっている。英語以外の言語で本来「遺産 heritage」を示した語彙（フランス語では patrimoine、ドイツ語では Denkmal）(Hemme et al, 2007) の差異や、「遺産」という用語が任意の国家の文脈で歴史的にどのように進化したか（Ronnes and van Kessel, 2016）という問題に表れている。以降本章では現代の遺産研究における重要な議論の一部を紹介する。

遺産、ナショナリズム、その他の尺度

　伝統、歴史的記念碑、遺跡、その保存、あるいは分野としての歴史学と考古学がどのようにネーション＝ステートとナショナル・アイデンティティの構築に利用されているかについては幅広い研究が蓄積されている。文化遺産の保護制度や関連法の大部分は国家的大綱の内部でネーション＝ステート

に資するよう作成されたという事実によって、遺産研究のための国家的大綱の優先度が高くなってきた。ナショナリスト的感情は今日の世界でも根強く、研究を通じて遺産と国家の関係を明示することは依然として有効である。**しかし、方法論的ナショナリズムの危険性——ナショナルな文脈で公然と遺産を見据えること——を常に認識しておくことは、他の多くの分野と同様に、遺産研究においても適切である。**Astrid Swenson（2013）のいう、「国家機関、市民社会、広範な大衆文化の相互作用によってあらゆる場所で生じた」（Swenson, 2013, 15）トランスナショナルで相互に絡み合った遺産にまつわる経験には長く複雑な歴史があるという主張には説得力がある。

　近年、遺産と記憶の国家／民族 nation以外の尺度（Graham et al, 2000を参照）、また以前は疎外されていた記憶や遺産の表し方の相互作用や対立への注目が高まっている。例えば世界遺産研究が増加していることは、国境を超えた遺産の価値（卓越した普遍的価値 Outstanding Universal Value）を構築するための野心的な国際協力プロジェクトが行われていることを示すが、その遂行がいかに困難であるかも示している。遺産概念が西洋中心的であるという問題、地域的多様性と無関係である普遍的な「大きな物語 metanarrative」の創造という問題、世界遺産リストの国家主義的なツールとしての使用という問題があるのである（例：Hevia, 2001; Meskell, 2002; Smith, 2006; Labadi, 2013）。

遺産の物質性と言説性

　考古学者のLaurajane Smithは、大きな反響を呼んだ著書Uses of Heritage（2006）で「権威化された遺産言説 authorized heritage discourse」（AHD）という用語を導入し、19世紀後半以降我々の時間を「普遍化」する言説としての支配的立場へと発展した西洋の遺産経験を描き出した。西洋の遺産経験はまた「記念碑性と壮大な規模、時間の深さに結びついた人工物ないし遺跡の内在的重要性、科学あるいは美学の専門家の判断、社会的コンセンサス、国民形成を特権化する」立場へと発展してきたものでもあるとSmithはいう。他にも多くの研究者が、特定の状況によって形作られる本質的に言説としての性質を持つ構造として遺産を考察している——ここでの言説とは、社会的

行為を反映し構成するものを指す。言い換えれば、遺産とその意味は「表象の上部や外部ではなく、内部で構築されている」（Hall, 2005）のである。「権威化された遺産言説」（あるいは「権威化された遺産に関する諸説」か）は、とりわけ遺産を物質的対象および物として理解する支配的な西洋的見方に対する批判の一つとして構想された。むしろ遺産とは、過程 process、パフォーマンス（Crouch, 2010）、伝達行為 act of communication（Dicks, 2000）、特定の遺跡や場所における過去との関係の一つとみなすことができる。この意味で、すべての遺産は無形である。学術的な言説が遺産論への関心を深める方向に進み、無形遺産への関心を高めるのと同時に、国際的な専門的遺産研究の枠組みの中においても無形遺産への関心の変化が同様に指摘されているのは興味深い（第3章参照）。これらの言説は相互に強化し合っているとみなすことができる（Harrison, 2013）。

　遺産のもつ言説としての性質を可視化しようと尽力してきた研究者のほとんどは、遺産を単に言説だけへと還元することを望んでいたわけではない。それにもかかわらず、批判的遺産研究の課題として、遺産の物質的特質をさらに可視化すべきであるという要請が近年出されている。アクターネットワーク理論 actor-network-theoryによれば、遺産の意味を創出する作用をもたらすのは、遺跡自体を含む非人間的アクターと人間的アクターの両者である（Harrison, 2013, 32-33）。さらにRodney Harrison（2013, 113）が主張するように、「私たちが『世界に存在する』ことの一部である様々な物理的関係は、遺産の対象、場所、経験と私たちとの関係を理解するために不可欠」なのである。

「表象としての遺産」か「行為・感情としての遺産」か

　遺産をどう表現するかということは、遺産研究の重要な課題の一つであり続けてきた——遺産の公的な作り手によって過去のどのような描き方が正当とされ公開されたのか、労働者階級、少数民族、その他マイノリティの記憶がいかにして統合または疎外されたのか——そして、遺産に関連する政治経済力の作用もそうであった。欧州委員会が資金提供した遺産関連のプロジェクトを検討すると、表象の複雑な問題は引き続き学界と高い関連性を持

つと結論付けられるともいえる。「何が共有されているのか根拠なしに仮定」（Macdonald, 2013, 37）することをなしにして、遺産と歴史を通じて欧州人としての共通のアイデンティティを育むことができるだろうか。社会的結合を生み出すために共通の物語を構築するときに欧州の現在と歴史の多様性の価値はどのように認識されるのだろうか。これらは欧州のプロジェクトとの関係で絶えず再検討を必要とする問題である。

　遺産の意味の創造における「物質」と「社会」の絡み合った性質に対して上述のような要請があることが示唆するように、遺産の表象理論には近年さらに複雑で動的な視点が求められるようになっている。「人々によって生み出された遺産の具体的かつ創造的な運用」（Haldrup and Bærenhold, 2015; Crouch, 2010）によって作り出されるものとして、実践と行為の観点から遺産をかたちづくる視点である。最近の遺産研究では、遺産を単に表象的にとらえるのではなく、遺産の感情的、経験的、情動的 affectiveな性質に焦点を当てる見方が注目されてきている。こうした関心は、遺産の他の伝統的な価値づけに対抗する（あるいは関連する）社会的価値観への注目の高まりと平行するものとみなせるかもしれない。例えば、集合的な記憶が感情や情動 affectとして人間の個人的な世界にどのように定着するか（Dittmer and Waterton, 2016）、感情が遺産の場で歴史的解釈をどのように生み出してきたか（Fabre, 2013; Gregory and Witcomb, 2007）、あるいは欧州連合の遺産政策言説内で意味形成にどのように貢献してきたか（Lähdesmäki, 2017）といった研究がなされている。現在、情愛という観点から再検討されている感情のひとつは、郷愁 nostalgiaである。従来の学術的見解では、郷愁は過去へのアプローチに使用するには難ありとされていた。しかし個人や集団が社会的、文化的、政治的、経済的理由で郷愁をどう扱うかという問題に着目すべきであるという意見も出されている。郷愁は否定的なプロセスとなる可能性があり、また現在の政治的な目的に流用される可能性もあるが、「過去に依拠しつつ感情を動員して現在において何かを成し遂げ、ともすれば将来に影響するよう方向付けられる」（Campbell et al, 2017, 610）潜在的に生産的なプロセスである可能性もある。

遺産活動と学界

　最近の遺産研究では、遺産活動の実践者と研究者の役割も議論されている。長年にわたる批判的遺産研究における批判の多くは、特にユネスコやイコモスICOMOSのような国際機関での専門的な遺産活動を対象としている。非常に有効な点も多くあったが、その過程の中で「反遺産的」となる場合、批判的なアプローチにはほとんど意味がなかったようである（Winter, 2013, 533; Witcomb and Buckley, 2013 も参照）。**また、批判をするに当たっては、20年前ではなく今日の遺産活動で実際に行われていることについての十全な知識に基づいていなければならない。（批判的）遺産研究と遺産保護部局は互いに生産的な対話をする必要がある。前者は学界だけに籠居してはならず、後者は社会の重要な問題に広く対処する必要があるためである。**Tim Winter（2013, 533）が述べるように、**批判的遺産研究における「批判的」態度は、今日世界が抱える深刻な問題に対処するに当たっても取られるべきである。「文化的・環境的持続可能性、経済的不平等、紛争解決、社会的結合、都市の未来といった今日の私たちが直面している複雑で多方面にわたる課題**に遺産が現在どうかかわっているか、また遺産がそのような課題に対してどのように積極貢献できるかをよりよく理解」すべきである。**欧州委員会が資金提供する遺産関連プロジェクトには、遺産活動に携わる人々と研究者とを本当の意味で対話させたいと望んでいるものもある。これは将来も継続されるべき取り組みであり、完了したプロジェクトを踏まえた最善の行動が模索されなければならない。**

　遺産活動と学界との関係に関しては、研究者自身が文化遺産の専門家や関係者でもあるというめったに論じられない問題もある。また一人の研究者が同時に持つ異なる役割が担う様々な社会的な期待をどのように調整するかという問題もある。

2.2　政治と行政：世界的傾向

　文化遺産は、記念碑を保存するためのトランスナショナルなキャンペーン、万国博覧会での復元展示会、国際遺産会議や後には国際連盟の枠組みといっ

たかたちでの保存主義者の意見交換を通じて既に19世紀後半にはトランスナショナルな性質を顕著に帯びていた（Swenson, 2013）。しかし人類共通の世界遺産という考えが完全に制度化されたのは戦後になってからであり、特に1960年代以降のユネスコでのことである。欧州連合の枠組みにおける欧州文化遺産のトランスナショナリズムはごく最近の事象であるため、序論で述べた文化遺産の第二、第三のレジームの両方におけるユネスコとユネスコの普遍主義的遺産活動を詳細に検討する必要がある。

　ユネスコの遺産への関心は、世界の文化遺産及び自然遺産の保護に関する条約（1972）（世界遺産条約）と、無形文化遺産の保護に関する条約（2003）（無形文化遺産保護条約）の2つに集中している。これら2つの条約が遺産の理論と実践という点で全く別物であることはその概要からうかがえるが、無形文化遺産保護条約は先行する世界遺産条約の欠点を補うものと見なされることが多い。1970年代初頭から始まったユネスコの遺産概念は多層的であり、重要な概念的発展をこれまでに数度経験し、また多くの付随した議論がある。序論で述べたように、1990年代初頭は、世界遺産条約が実施された歴史において重要な再検討がなされた期間であった[10]。充実した世界遺産リスト（1994）のために世界的な戦略も構想され、文化的景観が世界遺産登録推薦の新範疇として導入された。また西洋中心的だった真正性 authenticityの概念が拡張され、無形遺産という概念が世界遺産に関する議論に取りこまれ、世界遺産の定義において地域社会の役割が拡大するといった出来事が発生した。以下では、ユネスコの遺産活動に影響を与え、欧州のトランスナショナルな文化遺産プロジェクトにも重要である3つの全体的な傾向について述べる。

「顕著な普遍的価値」の地域化

　「顕著な普遍的価値 Outstanding Universal Value」（OUV）は、世界遺産の定義の基本条件である。これは挑戦的な概念であり、この文脈における「普

＊＊＊＊＊＊＊＊＊＊＊＊＊＊＊＊

10　本質的な転換点が1990年代であるのは確実だが、メキシコシティ文化政策宣言（1982）は80年代でありながら既に文化遺産を革新的に定義したものであった。

遍的」という用語に関しては多くの疑問が呈されている。遺産価値の多様化に関する最近の議論からすれば、「普遍的に共有される価値観」を、世界的に認められる価値観という意味で正当化することは困難である。OUVはまた、「西洋的な価値観と権利の概念を強化する」西洋的概念であり構築物であると批判されている（Meskell, 2002, 568）。

　OUVを世界的に認められ得るものとして理解することは世界遺産言説にまだ見られるが、最近ではOUVを相対的かつ文化的、社会的に従属的なものであると考える傾向が見られる(Labadi 2013, 57; Vahtikari, 2017)。グローバル戦略に関する専門家会議（1994）は、普遍主義者的な枠組みではなく地域的枠組みでOUVを再検討する必要があると指摘した。1990年代半ば以降、世界遺産という体系は分権化が進んでいる（Cameron and Rössler, 2013, 94-95）。北欧諸国は世界遺産の推薦政策を共同で再検討している。OUVの地域化は普遍主義者的な立場の見直しを進めるだけでなく、遺産ナショナリズムの悪例に対抗するというユネスコの目標も前進させている。一部の国家が少数民族の文化とその代替的な遺産の語り narrativeを推薦対象から除外しているように、多数派の文化が正当化する統合についての語りに関して周辺的である文化遺産は、世界遺産としてほぼ推薦されていない（例えばHevia, 2001）。2011年の外部監査では、世界遺産条約締約国が国益を考慮して推薦を行っていることが改めて指摘された（UNESCO, 2011）。地域化の傾向により、ユネスコは欧州連合のような文化遺産の分野で活動する他の国際機関との関係緊密化へと舵を切っている。世界遺産の文脈における地域化に向けた体系的取り組みの1つは、国境を越えた推薦である。数か国の共同推薦ができるものであるが、これはユネスコの地域区分の境界をまたぐ可能性もある。一例としては暫定リストに登録されている大西洋中央海嶺が挙げられる。これにはブラジル、イギリス、ポルトガル、ノルウェー、アイスランドに属する島々が含まれている。

有形遺産から無形遺産へ

　普遍主義者的な立場の見直しに加え、ユネスコの遺産政策から浮かび上がるもう1つの傾向は、有形遺産から無形遺産への移行 shiftである。国際的な

遺産論に社会的価値を導入するに当たっては、オーストラリアのICOMOSによるバラ憲章 Burra Charter[11]（1979年制定、その後数度改訂）が最初の画期となった。世界遺産条約について考えるとき、「移行」と称するのは少し強すぎる表現かもしれない。連続するレジームは相互を置換するのではなく統合するものであるという論理のため、遺産の有形性は依然としてその中心にあるからである。ユネスコが支持する国際的遺産パラダイムのさらに実質的な変化は、2003年の無形文化遺産条約採択に関連しているだろう。無形文化遺産条約は文化相対論者の思想を反映し、「顕著に普遍的」な価値には一切言及していない。そのため無形文化遺産条約に基づいて作成されたリストは「無形文化遺産の代表リスト」と名付けられている。無形文化遺産条約はまた、無形遺産と有形遺産の相互依存性と、文化遺産の担い手としてのコミュニティの重要な役割を強調した。この意味で、上述のように国際的な専門的遺産論と学術的言説は、互いに強化し合っているとみなすことができる（Harrison, 2013）。

　本節冒頭で述べた世界遺産という体系内の新たな方向付けのその他すべての側面は、無形文化遺産に対するユネスコの全体的関心と共鳴している。文化遺産に対する人類学的な視点の発展を促すグローバル戦略、有形・無形の価値の連続性を強調する文化的景観という範疇、遺産資源の真正性を証明する情報源に伝統、精神、感情を含み、遺産の担い手として地域コミュニティを認めた『真正性に関する奈良文書 Nara Document on Authenticity』といったものがその現れである。それにもかかわらず、無形性にまつわる言説が強化されたのと同時に、有形遺産と無形遺産を分離する傾向も続いている。定義上、両者の併存は可能である。しかし、ユネスコの枠組み自体の中で遺産指定体系がこのように有形と無形の二種に分かれていることは、両者の弁別につながっている。この考え方では、世界遺産リストは引き続き有形遺産リストである。**厳格に有形遺産と無形遺産の線引きをし、両者を異なる遺産価値として構築しようとするべき理由はほとんどないというのが、ユネスコ**

＊＊＊＊＊＊＊＊＊＊＊＊＊＊＊

11　オンラインで閲覧可能である。https://icomosjapan.org/charter/others1981.pdf

から学ぶべき教訓である（Vahtikari, 2017）。

世界遺産という体系の信頼性

　世界遺産という体系に関する議論を支える第3のテーマは信頼性である。長年にわたり、信頼性の問題は研究者や専門家によって多くの問題と関連付けられてきた。特に注目を浴びているのはアーカイブとしての世界遺産リストの信頼性と、リストの作成という行為自体の信頼性である。世界遺産条約の実行は地理的にもテーマ的にも文化遺産と自然遺産の間でも延々と均衡を取らねばならない事業であり続けてきた。今までこれらのうち均衡が取られたものはない。特に世界遺産認定後の保存状況が不確かである場合には、もはや均衡を取ろうとする試みすら困難である。これは信頼性の他の側面と関連している。リスト選定は政治色を強めてきていると考えられているのである。世界遺産条約はユネスコの最も成功した法的手法といわれることが多いが、世界遺産の将来を現在考察している人々の多くはやや悲観的である。このことの一部は社会における価値観の変化に対する認識を反映している。「科学的専門知識に対する敬意の低下、［世界遺産に選定されている遺産が］文化的・地理的に偏っていることへの認識を是正しようという決意、国際的認知を国家の名声と具体的な経済的利益に変換しようという公然の試み」（Rudolff and Buckley, 2016, 525）といったものを反映しているのである。欧州遺産プロジェクトは、こうした変化する社会的優先事項との関係を絶えず（再）定義する必要もある。

2.3　行政による欧州文化遺産の制度化：過去、現在、近未来

　テーマ年が概念や計画を促進する上でどう役立つかを事前に判断することは困難である。例えばフランスでは1980年の遺産年 Année du patrimoineにより、文化遺産が現在のアイデンティティ形成における重要な概念であることの認知度が行政でも世間でも本当の意味で高まった。**欧州委員会が最近提案した欧州文化遺産年の設定案は欧州評議会と欧州議会の双方に支持され、2018年に欧州文化遺産年を開催することが共同で決定された**（欧州をテーマ

にしたテーマ年の設定は2年ぶり）。欧州文化遺産年の狙いは文化遺産が文化的課題だけでなく文化的課題が社会、経済、政治、環境に与える影響も概念化する能力を備えていることを示すことにある。1983年からの31年間には様々なテーマ年が設けられたが、文化的なテーマが選択されるのはこれで6回目である[12]。しかし、文化的概念が気候変動から地方開発戦略までの幅広い領域を取り入れることが期待されるのはおそらく前例がない。2008年の欧州異文化対話年European Year of Intercultural Dialogueから2018年の欧州文化遺産年までの10年に、欧州の諸機関は、経済的、政治的危機とその余波を受けた喧喧囂囂の議論を経験した。この10年、欧州の経済、社会、環境、政治に関連した欧州文化と文化機関の重要性に対する公的な認識は高い年もあれば低い年もあった。それでも2018年の欧州文化遺産年が広く認知されたことは、文化遺産の旗の下で欧州文化を制度化しようとする勇気ある試みであると評価できるだろう。

　欧州の諸機関はそうした重要性を文化遺産にどのように、そしてなぜ帰属させているのだろうか。それを理解するには様々な展開の相互関係を考慮に入れなければならない。

・欧州計画における文化の役割には独自の歴史がある。この計画は文化的な取り組みを主として始まったわけではないが、パリ条約は1951年に「歴史的闘争に代わってその本質的な利益を融合」することを目指していた[13]。「歴史的闘争関係 historic rivalries」は漸進的に文化的同一性へと変貌を遂げた。1992年の欧州連合条約では「共通の文化遺産」と表現されたが、一方で「加盟国の国家的・地域的多様性」は尊重されている。同様に、加盟国によって表される欧州の「豊かな文化的・言語的多様性」が「欧州の文化遺産」と調和されている2007年のリスボン条約にも反映されてい

＊＊＊＊＊＊＊＊＊＊＊＊＊＊＊＊

12　1985年に「音楽」、1988年に「映画とテレビ」、1990年に「観光」、2001年に「言語」、2008年に「異文化間対話」が欧州年のテーマに選ばれている。
13　この条約によりフランス、イタリア、西ドイツ、オランダ、ベルギー、ルクセンブルクの4か国が欧州石炭鉄鋼共同体（ECSC）を設立し、資源を共同管理することが取り決められた。

る。文化遺産（正確にいえば欧州の文化遺産）という概念は、各加盟国が持ってしかるべきである文化の違いを脅かすことなく欧州の共通アイデンティティを表すのには適切であると考えられる。

・一般にジャン・モネ[14]が述べたとされる「もし［欧州統合を］やり直さなければならないとしたら、文化から始めるだろう」という言葉が表すように、行政が文化に意識を向けるかどうかは、**欧州の大物政治家の任期**次第でもある。上記の引用にも示されているように、政治家は在任期間が末期になると欧州文化の重要性を強調する傾向があり、行政は必要な行動計画の適切な策定を求められる。しかしこれは時間を要する作業であり、継続的に取り組まれている経済的、社会的、政治的行動計画と比較すると戦略立案が遅れる可能性がある。

・この他の時間的要因としては、**計画期間と景気循環**が挙げられる。両者は独自の準備、実施、評価の論理を持っている。優先される研究テーマを見れば、新規性のあるテーマがどのように計画循環と金融循環 financial cycleに入ることができるかは明白である。社会科学的・人文学的研究は、文化遺産とその他関連分野がまだ研究対象でなかった1994年の第4回研究大綱に含まれていた。第5回大綱（1998-2002）では、社会科学と人文学の研究において、社会的結合、移民、福祉、統治、民主主義、市民権が取り上げられた。第6回大綱（2002-2006）では、社会科学と人文学の研究のために、市民権と文化的アイデンティティの新形態 New forms of citizenship and cultural identitiesというテーマが導入された。第7回大綱（2007-2013）以前、文化遺産研究は主に環境計画（保全戦略と技術）と第5回大綱の情報社会技術 Information Society Technologies（IST）の下で実施されていた。文化遺産の観点から見ると、アイデンティティ、文化遺産、歴史に関する欧州連合の資金提供を受けた研究が複雑化・多様化

＊＊＊＊＊＊＊＊＊＊＊＊＊＊

14　Jean Omer Marie Gabriel Monnet（1888-1979）. 第二次世界大戦後の復興に尽力、欧州石炭鉄鋼共同体構想を推進、議長を務める。欧州統合に大きな役割を果たした。

したため、第7回大綱は真の変化を表しているといえる。

・各機関の内的な時間の流れの枠外から、**外的な歴史的出来事が欧州文化と文化遺産の制度化に大きく影響する**こともある。2005年に欧州憲法制定条約に関する国民投票がフランスで否決されたことと、2007年から2008年にかけての世界金融危機は、欧州のアイデンティティと文化に関する考えと行動を再構築する上で最も影響力を持った事件の1つであった。欧州連合脱退に過半数が賛成した2016年のイギリスの国民投票は、欧州の共通アイデンティティ構築を強化する取り組みをさらに積極的に促進する追い風となった。その結果、2018年の欧州文化遺産年は、イギリスが離脱するか否かの時期に欧州統合を象徴する重要なものとなっている。

・欧州のアイデンティティと文化の枠組概念として文化遺産が台頭したことは、第三レジームに到るまでに**文化遺産概念が進化**してきたことと軌を一にしている。この意味で欧州文化遺産の設定は次のようにユネスコと同様の論理に従っている。(1) 第一に、様々な共通規格文書で文化遺産を欧州の記念物保護の伝統と調和させつつ建築文化遺産（1975、1985）と考古学的文化遺産（1992）と定義している点。次に(2) 文化遺産を「人々が所有権とは無関係に、常に発展する価値観、信念、知識、伝統の反映および表現として認識する、過去から継承された資源の集合」としてさらに広い定義を提供している点である。ファロ条約で規定されているように、文化遺産は「時間の経過とともに人と場の相互作用から生じる環境のすべての側面を含む」のである。

欧州評議会の2つの条約——欧州景観条約（2000年採択。2017年までに24加盟国が批准）とファロ条約（2005年採択。2017年までに8加盟国が批准）——は、欧州が独自に文化遺産概念を発展させるための参照点として言及されることが多い。両条約はユネスコの文化遺産概念を代替する有効な基準であると広く認識されている。**欧州景観条約は持続可能性を支柱として社会と自然の間に新しい概念の橋を架けた。ファロ条約は文化遺産の新たな解釈の**

中心にヘリテージ・ライト、文化権、人権を定着させることにより、民主的で人間的な価値を追求する方向へと政策を転換させることに貢献した。その結果、文化遺産に関連する権利は、世界人権宣言で定義されているように、文化生活に参加する権利において生得的に認められるものと認識されている。したがって文化遺産に対する個人的・集団的責任が認められることと、文化遺産が持続可能なあり方で活用され人間発達・幸福へと結びつけられることは、文化遺産保護・管理の主要な目的とされている。上述の欧州文化遺産に関連する要素に鑑みれば、2005年は本質的な変化があった年であるといえる。同年にファロ条約が第三レジームの全体論的アプローチに向けた新しい欧州文化遺産パラダイムを明示した一方、フランスで欧州憲法採択をめぐる国民投票が否決されたことは、欧州計画をさらに発展させるにはアイデンティティと文化的側面を必ず含めなければならないという警告であった。リスボン条約（2007）[15]は欧州文化遺産に関してマーストリヒト条約（1992）の内容を踏襲しているが、第7回研究大綱（2007-13）のテーマは、全欧州として欧州のアイデンティティを考察し、また文化遺産の場や活動として欧州のアイデンティティがどう現れているかを考察することを支持するものであった。**Horizon 2020が遺産というものをいっそう重視していることは、Horizon 2020における遺産関連テーマの量と数に定量的に表れているが、欧州連合の資金提供を受けた文化遺産研究は、制度上いまだ有形遺産、自然遺産、無形遺産、デジタル遺産といった古い分野的・テーマ的区分で断片化されている。**

「欧州市民の欧州連合への帰属意識を強化する」ため、2006年に欧州遺産認定制度が各国の政府間イニシアティブによって作成された。欧州文化遺産とその有望な制度化に対する関心の高まりがリーマンショックで一時的に減速したことは、欧州計画が主として経済的、財政的、社会的取り組みであることを再度浮かび上がらせた。しかしその後すぐに、第三レジームの文化遺産言説に沿って、文化が現在制度化された形態である文化遺産は、もはや費用のかかる孤立した存在ではなく、持続可能性を支える3つの柱（経済、環

＊＊＊＊＊＊＊＊＊＊＊＊＊＊＊

15　リスボン条約中の文化遺産に関する3か所の言及はすべてマーストリヒト条約から受け継いだものである（Preamble; 3.3 TEU, 107.3d TFEU, 167 TFEU）。

境、社会）に有機的に統合されているものであることが認識された（図1参照）。それゆえヨーロッパの文化遺産の制度化は2010年代半ばから画期的な転換を遂げ、2018年の欧州文化遺産年の実施に至ったといえる。

FIGURE C. THE DIFFERENT SUBDOMAINS IDENTIFIED IN THE COLLECTED STUDIES MAPPED IN THE HOLISTIC FOUR DOMAIN APPROACH DIAGRAM

SOURCE: own.

図1. 持続可能性の4つの柱

出典：Cultural Heritage Counts for Europe. Full report.

　過去数年間に文化遺産関連の会議やイベントが多数開催され、欧州の様々な機関が広範な戦略政策文書を採択したことは、文化遺産の重要性の認識が高まり、欧州連合水準で政策転換が起きていることを如実に示すものであった。以下に挙げるのは欧州共通文化遺産の構築に関する規範的文書または2018年欧州文化遺産年の基盤となった近年の文書のうち主要なものである。

・『欧州2020：スマートで持続可能で包摂的な成長のための欧州戦略』（欧州委員会、2010年）Europe 2020. A European Strategy for Smart, Sustainable and Inclusive Growth
・『欧州遺産認定制度の設立に関する決定』（欧州議会、欧州連合理事会、2011年11月）Decision establishing the European Heritage Label
・『欧州のアイデンティティの開発：未完の作業（欧州委員会、研究・イノベーション部局、2012年）』The Development of European Identity/Identities: Unfinished Business. A Policy Review
・『文化遺産に関する欧州連合戦略に向けて：事例研究（欧州遺産同盟の欧州委員会への提出による、2012年3月3日）』Towards an EU Strategy for Cultural Heritage − the Case for Research
・『欧州のための新しい語り』（欧州委員会、2013）New Narrative for Europe
・『持続可能な欧州の戦略的資源としての文化遺産に関する決定』（欧州評議会、2014年5月）Conclusions on Cultural Heritage as a Strategic Resource for a Sustainable Europe
・『欧州文化遺産への統合的アプローチに向けたコミュニケーション』（欧州委員会、2014年7月）Communication Towards an Integrated Approach to Cultural Heritage for Europe
・『文化遺産の参加型ガバナンスに関する決定』（欧州評議会、2014年11月）Conclusions on Participatory Governance of Cultural Heritage
・『戦略的研究アジェンダ』（共同プログラミング・イニシアティブ：文化遺産と地球変動、2014年）Strategic Research Agenda
・『欧州における文化遺産の活用のために』（Horizon 2020報告書、文化遺産

専門家グループ、欧州委員会、研究・イノベーション部局、2015年4月）
Getting cultural heritage to work for Europe
・『ナミュール宣言』（ナミュール欧州文化会議参加国閣僚、2015年4月）
Namur Declaration
・『危険水域に架ける橋：欧州歴史遺産と欧州統合の未来の関係（欧州委員会、
研究・イノベーション部局、2015年）』Bridge over troubled waters? The
link between European historical heritage and the future of European
integration
・『文化遺産の欧州への重要性』（欧州委員会、教育・文化部局、2015年6月）
Cultural Heritage Counts for Europe. Full report
・『欧州文化遺産年決議（欧州議会、欧州連合理事会、2016年8月）』Decision
on a European Year of Cultural Heritage
・『教育と文化による欧州アイデンティティの強化』（ヨーテボリ首脳会議
への欧州委員会寄稿、2017年11月）Strengthening European Identity
through Education and Culture

　欧州文化遺産年の決定にあたって上記報告書のほとんどから専門知識が収
集・使用されていることは、欧州文化遺産の特性を定義する初の欧州共通の
努力が欧州文化遺産の制度化のあり方を決定するに際して真に生産的である
ことを証明するものである。そのため、欧州文化遺産年の掲げる11目標のう
ち3つは、研究とイノベーションにおける以下の目標・行動となっている。

・文化遺産の保護と管理の質に関して、またバリアフリー化を含む歴史的
環境の現状変更に関して、議論、研究・イノベーション活動、優秀事例
についての意見交換を促進する。
・欧州連合水準の根拠資料や指標とベンチマークの開発を含む研究・イノベー
ションを通じて、社会と経済に対する文化遺産の貢献を強調・促進する。
・文化遺産に関する研究・イノベーションを促進する。全関係者、特に公
的機関と民間による研究結果の取り込みと利用、一般社会における普及
を推進する。

　2017年5月に欧州歴史の家 House of European Historyが開館したことは、**欧州文化遺産の制度化における決定打でもあった**。開館に至るまでの10年間には、欧州の文化的アイデンティティが現在のように認識されるまでの紆余曲折があった。欧州歴史の家の目的は「欧州の過去を解釈するための恒久的な情報源――すなわち欧州の記憶の保管庫たること」と「欧州の歴史と遺産を扱う諸機関をつなぐための主要なプラットフォームを形成すること」である（historia-europa.ep.eu/en/mission-vision）。「博物館 Museum」ではなく「家 House」と名付けられたことと、歴史と記憶を結びつけ過去を自分に引き付けて解釈することは、欧州の過去を現在主義者的に表す第三レジームの言説に現れている。1970年代以降、個人、コミュニティ、集団に属する「記憶」の制度化は、社会科学と人文学の伝統的なアイデンティティ構築に挑戦するものだった。**社会のあらゆる水準（ローカルからグローバルまで）での記念 commemorationsと記念イベントが増加したことは、過去の解釈が大衆化されたことを示しただけでなく、様々な政治的主体が過去を自己の目的のために使用する機会としても役立った。新しい欧州歴史の家は、過去についての現在主義者の公的な解釈とその学問的評価とを橋渡しすることを意図している。**欧州歴史の家の最初の常設展示は、美しい展示品で欧州の黎明期を簡単に紹介した後、欧州近現代史をテーマ別に概観できるつくりとなっている。年代史的な展示を意図したものではなく、共有すべき楽しい経験を提供するものとなっており、「欧州の始まり」を政治的・文化的単位として議論する泥沼の論争は避けられている。この解決策は差異化を進める方向ではなく、共通の価値と起源へと議論を誘導するものである。

　欧州歴史の家は欧州文化遺産年が達成しようとしている計画と制度を完成させる。これには「創造的欧州 Creative Europe、欧州構造投資基金 European structural and investment funds、Horizon 2020、Erasmus+、市民のための欧州 Europe for Citizensが含まれている。Creative Europeは文化遺産に特化した欧州連合の3つの事業（欧州遺産週間、欧州連合文化遺産賞 EU Prize for Cultural Heritage、欧州遺産認定制度）に資金提供をしている」（2016年、欧州文化遺産年決議）。欧州歴史の家、欧州旗、ユーロ紙幣といった政治的象徴とともに、これらの3計画は欧州のアイデンティティ形

成に作用する可能性がある。上記の計画が欧州市民のアイデンティティ形成にどのように貢献し、Cramの「ありふれた欧州主義 banal Europeanism」をどのように修正するかを評価するのは、興味深い研究テーマである。Cramによれば、欧州連合のアイデンティティを支えているのは日常的で偶発的で場当たり的な過程である（Cram, 2009）。欧州のアイデンティティに関する最近の研究は、図2の傾向が示すように、現代が欧州人としての帰属意識を強化する時代となっていることを示している。**この調査によると、2000年代後半の金融、経済、政治危機による欧州連合の信頼性の低下は2010年に頂点に達し、以来再び減少し始めたことがわかる。欧州人であることの重要性の高まりは、おそらくブレグジットに際する国民投票によって大陸側ではさらに強化されている。**

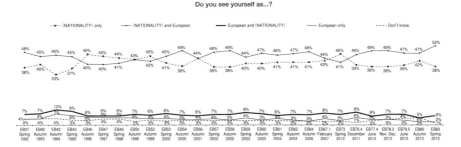

図2. 欧州市民のアイデンティティの傾向 Trends in European identity

「自分のアイデンティティをどう捉えますか？」という質問に対しての回答。
　…■…：国籍のみ、　─●─：（国籍）+欧州人、　━━：欧州人+（国籍）、
　──：欧州人のみ、　………：わからない。

出典：COHESIFY Project Research Paper 1.

欧州遺産認定制度と世界遺産リストの関係

　国際的な遺産の理論と実践における先述の2つの時代を考慮すると、欧州遺産に関する主要な憲章と条約も検討する必要があるだろう。欧州建築遺産憲章 European Charter of the Architectural Heritage（1975）と欧州建築遺産保護条約 Convention for the Protection of the Architectural Heritage

of Europe（1985）は、ユネスコの世界遺産条約と同じ部類に属している。
いずれも遺産の物質的側面に着目し、遺産を人類あるいは欧州の共通の財
産として扱っている。一方、文化遺産の社会的価値に関する欧州評議会枠
組会議（2005）Council of Europe Framework Convention on the Value of
Cultural Heritage for Societyは、ユネスコの無形文化遺産保護条約と価値
基盤を多くの点で共有している。双方とも人間的価値を文化遺産概念の中心
に位置付けており、遺産を文化的・自然的環境と相互作用するコミュニティ
によって常に改変されるものとしている。欧州景観条約（2000）European
Landscape Conventionは、ユネスコの文化的景観という概念に基づいて作
成された。「文化的景観」ではなく「景観」と称することで、文化的景観と
自然景観の区別がさらに薄れた（付録3参照）。

　近年欧州委員会が発表した欧州遺産認定制度の背景となっている思想をユ
ネスコ世界遺産リストと比較すると、欧州遺産認定制度が世界遺産リスト
と異なっているのは欧州委員会独自の定義のためであることが見えてくる。
次の3点が特に重要である（https://ec.europa.eu/programmes/creative-
europe/actions/heritage-label_en）。

・「欧州遺産は欧州という語り narrativeとその背後にある歴史を生き返ら
　せる。それは単なる美学以上のものである」
・「焦点は、遺跡の欧州的特性の宣伝とアクセスの提供である。これには特
　に若者向けの幅広い教育活動の実施が含まれる」
・「欧州遺産は、単独でもネットワークの一部としても楽しめる。遺産を訪れ
　た人は欧州が提供し得るものと達成してきたことの大きさを実感できる」

　以上のうち2点目と3点目はユネスコの狙いとは重ならないようである
が、ユネスコは欧州遺産認定制度と同等の規模（世界史的な「代表性
representativeness」）を持った遺産を選定することと、遺産を通じてアクセ
スと教育を促進することを目指しているため、上記3点のうち1点目こそ重要
な問題を提起するといえる。「単なる美学以上」という表現は、現在支配的
である外観・美観中心の遺跡観に対抗する無形・社会的・コミュニティベー

スのアプローチを支持する表現と見なせるかもしれない。また、（現在の世界遺産登録基準と比較した場合）欧州遺産認定制度の柔軟で開放的な登録基準を支持するものとも見なせるだろう。もちろん、欧州文化遺産として認証された場所を管理する人々は、「自分たちの」遺産のどこに保存・促進する価値があるかという点について、意見が一致していない可能性はある。したがって、ユネスコ世界遺産の経験が示すように、「重要性認定証 statements of significance」を遺産に対して発行する場合、地域社会との緊密な協力のもとで決定され、認定後でも必要であれば再審査を受け入れることが非常に重要である。欧州文化遺産研究の観点からすると、すでに欧州遺産認定制度を得た30を超える遺産は、比較研究の格好の素材である。概念的にいえば欧州文化遺産は未完成であり、流動的であることには注意するべきである。欧州文化遺産は、社会の様々な水準（地方から全欧州まで）で理解されている。欧州連合あるいは欧州共同体の指示文書や公文書があるが、あくまで方向づけを意図したものであり、解釈を押し付けるためのものではない。異なる水準間の関係は流動的であるだけでなく、相互作用的でもある。相互作用の中で結果として競合が発生する場合もあり、遺産の取り扱いを「トップダウン」と「ボトムアップ」で行うかという単純な二分法では捉え切れない。欧州遺産認定制度の選択過程は遺産解釈の実践である。選択にあたっては1194号文書（No.1194/2011/EU Decision）の示す基準（基準文書）と遺産候補（受け手側による基準文書の解釈）が比較される。ここでの欧州遺産認定制度選考委員団の仕事は、明確には定義されていない作成者側（欧州連合の諸機関）の意図を実行することである。実際、欧州文化遺産に携わる諸機関を考察することは、社会科学と人文学の最新の方法論的アプローチを通じて、途上にあるアイデンティティ形成を分析する有望な機会となる[16]。

　欧州文化遺産の制度化の加速は、文化遺産の概念化と管理に関する研究の

＊＊＊＊＊＊＊＊＊＊＊＊＊＊

16　アイデンティティ形成について大きな成果を収めたイニシアティブは、「例えば欧州文化首都（1985年以降、毎年選定）、欧州歴史街道（1987年以降、45街道選定）、ヨーロッパ・ノストラ賞（2002年以降、557件）、欧州遺産認定制度（2011年（決定）、2013年（選定）、60件）」（ションコイ）

増加をもたらしうる。文化遺産研究の学術的制度化は、様々な国や学問分野ですでに始まっている。**現在の文化遺産は、多様で排他性の低い欧州のアイデンティティを構築するための新しい概念的枠組であるように思われる。そこにアイデンティティ要素間の階層を確立する圧力はなく、一枚岩的にアイデンティティを語る必要もない。したがって、文化遺産に関する研究と教育は、寛容で民主的な欧州社会の構築に貢献しうる。**類似した構造を持つ各国の文化遺産学科や文化遺産講座のネットワークを利用することは、欧州文化遺産研究の制度化を円滑に進めると考えられる。これらの機関の目的は文化遺産の文化的・社会的利用についての新しい欧州の概念を研究することである。その際には文化遺産保護と第一、第二レジームに特徴的なアイデンティティ形成の分野だけでなく、第三レジームといっそう調和的な学際的アプローチにおいても優れている欧州の社会科学と人文学の非常に豊かな伝統が活用される。こうした学際的文化遺産研究は、欧州の共通の価値観という観点から、文化遺産に対する価値主導型アプローチを概念化することが期待されている。しかし文化遺産への価値主導型アプローチは批判的に考察される必要があることには注意すべきである。なぜならこれは基準となる法的文書で宣言された欧州の価値観を広め促進するための優れた機会であるものの、異なる価値観の批判や否定にさえつながる可能性もあるからである。共通の価値観の受容とその解釈に関する研究は必須である。

3. 現在の欧州文化遺産に関する 事例的研究方法とその結果

　本報告書で取り上げる14の計画は、現在の欧州文化遺産研究とその実践に関する良質な事例とモデルを提供する。これらのモデルは第三レジームの文化遺産の複雑さを明らかにするものである。本章では第1章ですでに示した3つの指標（①文化遺産の空間的側面、②文化遺産の時間的側面、③文化遺産コミュニティとガバナンス）に従って述べる。本報告書の考察対象は14の計画のみであるため、欧州連合から資金提供を受けた文化遺産研究のすべてを網羅しているわけではない。欧州研究評議会とHorizon 2020 Societal Challenge 5に向けて立案された計画は、規範的・政策的要素と不可分に連動している。14の計画はその一段階上にある大きな政策分野の概観を示す。14計画以外にも、2017年と2018-2020年にかけて実施されるSocietal Challenge 6のテーマに基づく多数の新プロジェクトがある。「第4の産業革命を背景とした社会経済的・文化的転換」が求めるような、文化観光、創造産業、文化と文化政策の価値、消滅の危機に瀕した文化遺産、社会的結合のための文化遺産への協力的アプローチといったテーマが掲げられているのである。デジタル文化遺産の調査と管理を挙げているものもある。こうした研究分野は極めて重要である。しかしHorizon 2020の提言に比して欧州文化遺産研究の細分化は依然として顕著であり、現在の文化遺産概念と関係者と市民の期待を十分に満たしているとはいえないのが現状である。

3.1 欧州の文化遺産の空間的側面

　14の計画が定める主な空間的範疇には（1）場所、（2）風景と「複合的風景」、（3）仮想空間と現実空間の相互関係、（4）機動性の増大から生じた流動的空間とそれによるオンラインでのアイデンティティ形成の増加、の4項目がある。

遺産の場

　記憶の場や追憶の場と同様に、遺産の場は**現在のアイデンティティ構築において特権的な地位を占める。遺産の場が有する現在における重要性と魅力の源泉は、遺産の場が記憶と帰属の基準点を決定できることにある。遺産の有形的要素（モニュメント、地理的空間、物体、出来事他）と無形的要素（社会的・文化的活動、物語、記念行為他）を結び付けることは可能である。**新たに意味づけられた博物館は「アイデンティティ形成のためのローカライズされた空間としての市民の場」となりうる。MELA[17]で示されたように、こうした博物館はアイデンティティを「単純化するような分類」とともに「潜在的に人々を分断する可能性のある民族的・下位文化的分類 ethnic or sub-cultural categorisations」を「有効に代替」することができる。そしてCRIC[18]が述べたように、「場の来歴に基づくアプローチ」は、意味変化の手段と媒体としての遺産の場について議論する。このアプローチは「景観の来歴に基づくアプローチ」（Elerie, Speck, 2010）と同様、共創的方法論を含む。任意の場が持つ複雑性の中で、研究者と地域住民は変化を捉え、コントロールするための継続的な意見交換をしていくのである。

風景とその他の「景観」

　文化的景観とそれに関連する感覚的「景観」（聴覚的景観、歩行景観他）の概念には、空間に対して個人が遺産体験の一部としてアイデンティティを感じることの重要性が現れている。そこでは個人やコミュニティによる遺産の多様な利用が交錯する。CRICは「様々な種類の景観に焦点を当て」ため、「研究者は現実の物理的空間だけでなく、想像力をかき立てる景観も、［訪問者に］体験された景観も考察することができた」。実際、CRICは様々な景観

＊＊＊＊＊＊＊＊＊＊＊＊＊＊＊＊

17　MELA（MeLa European Museums in an age of migrations）。移民と博物館の関係を研究したプロジェクト。詳細は付録を参照。
18　CRIC（Identity and conflict. Cultural heritage and the re-construction of identities after conflict）。戦後世界における文化遺産と戦争、復興、アイデンティティの関係性を考察したプロジェクト。詳細は付録を参照。

の相互関係と、景観が破壊と再生の過程を経てどのように影響を受け、形成されるかについて論じることもできたのである。

MEMOLA[19]の「景観アプローチ」は、地中海の山岳地帯における「自然との特別な関係をもたらした歴史的過程」を辿れるように設計されている。このアプローチは「農業体系を生み出すのに不可欠な天然資源である水と土の歴史的研究に軸足を置いて」いる。したがって、**遺産景観は、「地域コミュニティの持続的な実践と伝統的な環境的知識」を新しい世代や研究者集団に伝える「生きた媒体」と見なされる。**

MEMOLAチームの研究者、学生、地元農家の人々による高地の
伝統的灌漑水路の改修（スペイン、シエラネバダ山脈）

仮想空間と現実空間の関係

このテーマは遺産制度だけでなく、遺産研究にとっても主要な課題の1つ

＊＊＊＊＊＊＊＊＊＊＊＊＊＊＊

19　MEMOLA（MEDITERRANEAN MOUNTAINOUS LANDSCAPES）。地中海沿岸地域における文化的景観を研究するプロジェクト。詳細は付録を参照。

である。RICHES[20]が指摘したように、「拡張現実や専用の携帯電話アプリケーションといったデジタル技術を用いることで、訪問者の文化遺産体験を強化し、当該文化遺産を宣伝し、文化遺産資源の商品化における特別な場としてのイメージの創出が可能」となる。しかし、「文化遺産体験の強化」が長年にわたって世代から世代へと文化遺産を受け継いできた伝統的な文化遺産の伝達とどのように関係しているかを評価するのは困難である。したがって、**仮想空間における遺産の表現と使用、それによる遺産制度とコミュニティへの影響を調査するためには、無形遺産と遺産資源の商品化に関するさらなる研究が求められる。**

空間の流動性とアイデンティティネットワーク

　現代の欧州社会の特色は「物理的な移動と仮想的な移動」であると称されることが多い。両者の「量、迅速性、複雑さ」は増加している。MELAが目指したように、この状況に直面した博物館は「［人々が］流動化し、断片化し、地位が変動し、移動性が高まったことが、個人や博物館のアイデンティティと帰属の構築にどのように影響するかを調査する」必要がある。**移民の流入は欧州全土で政治的混乱を引き起こした。MELAは、自分たちが来る前の欧州の文化と文化遺産の表象を移民がどう認識したかということの重要性を考察した。そのため社会科学と人文学のツールにより、政治危機[21]以前の欧州の大規模な社会現象の理解が可能となった。**ヒトの移動とモノの交換の加速によって遠隔地とも仮想的近接性が増大し、ネットワークは地理的近接性に基づいた従来のアイデンティティの空間的基準と比肩するものとなり得る。この意味で、移民の特殊な領域性（欧州内外を問わず）は、各国／各

＊＊＊＊＊＊＊＊＊＊＊＊＊＊＊＊＊

20 RICHES（RENEWAL, INNOVATION AND CHANGE: HERITAGE AND EUROPEAN SOCIETY）。デジタル技術他、文化遺産にかかわる様々な変容について研究したプロジェクト。詳細は付録を参照。

21 2015年、主にシリアからの移民の大量流入を指す。「欧州連合は加盟諸国に移民を移送したいと考えていたが、数か国が拒否し、内政干渉に不満を持つ国も多かった。大量の移民の扱いと、欧州連合中核国との協定におけるギリシャ、ハンガリー、イタリアといった流入の入り口となる国の役割という観点から、移民問題は全体（欧州連合）と個（国民国家）の政治的戦場であり、今もその状況が続いている」（ションコイ）

民族の文化の概念的理解およびその同質的領域の取り扱いと矛盾する可能性がある。

EUNAMUS[22]は欧州委員会に対し「インフラではなく指針」を支援し、資金を提供することを求めている。ここでいう「指針」には「過度にナショナルで、一方的な、あるいは排他的な収蔵品を見直す努力が含まれる。それは市民を立場の転換に巻き込むために必要な、来館者側の意識の向上における革新的な実験を支援することを意味」する。EUNAMUSの指摘によれば、各国の国立博物館は収蔵品の見直しと地域の博物館との協力を通じて欧州共通の語りを生み出す可能性がある。一方MELAは「欧州諸国民のアイデンティティを示す遺産から現代の移民遺産へ」の現代的な推移を指摘している。少数民族集団とその語り方を包摂するように国家の語り方を書き直すことは、引き続き重要な関心事項となっている。また、欧州と世界の共通の遺産をより深く考察することも重要である。

アイデンティティの基準空間および共有遺産としての欧州を建設する観点では次の3点が主要構成要素といえる。(1) 遺産の場所の「公開目録」、(2) 古くからある遺産の諸制度の商品化とその遺産の場・コミュニティの仮想化に対する批判的アプローチ、(3) 遺産のネットワークベースのアイデンティティ形成である。

3.2 欧州文化遺産の時間的側面

以上14の計画の検討で明らかとなった現代の文化遺産の時間的側面の主な特徴は、(1) 継続性と現在の重要性 (2) 歴史的進化の一義的な解釈の複数化である。

連続的・動的・拡張的現在

CRICは文化遺産と武力紛争後の遺産の再建を考察し、「紛争後の遺産の再

＊＊＊＊＊＊＊＊＊＊＊＊＊＊＊

22　EUNAMUS（European National Museums: Identity Politics, the Uses of the Past and the European Citizen）。欧州諸国の国立博物館とアイデンティティについて研究したプロジェクト。詳細は付録を参照。

建は有用とは限らず、時には非常に非生産的であり」、「遺産は無実の傍観者ではないが、紛争中も紛争後も言説のレトリックと行動に一部関与している」と結論付けた。ヴェルダン要塞の場合、「『生きた記憶の時間』から『歴史の時間』への移動」が目撃される可能性があるが、近年の（あるいは近年になって再利用された）出来事や遺産の場の場合は、遺産の持つ本質的な連続性に解釈の矛盾が含まれ続け得る。

　時間的連続性における欧州文化遺産の(再)解釈は遺産の管理と継承に様々な影響を及ぼした。TRACES[23]が述べたように、「プロダクト志向からプロセス志向への移行があった。焦点はもはや展示ではなく、展示の制作はプロジェクトへと拡大」される。RICHESは模範事例の1つとした欧州の工芸活動の保護が「文化的・歴史的継続性を結びつけるものとして機能する」と結論付けることができた。

複数の共存する展開

　欧州各国の国立博物館の実例に基づき、EUNAMUSは「国立博物館の方針は多文化の方向に舵を切っており、博物館によく見られる古い国家の語りに触れることはほとんどないか、あるにしても極めて批判的である」こと、そして新しい未来のために現在と過去を遠ざける博物館は、「過去の桎梏を抜け、未来を自由に描き出すことを試みる」ことを示した。しかし、国立博物館だけでなくその他の博物館にも一般的であるこの傾向は批判的に検討されなければならない。「歴史を現在とは離れたものとしてあまりに急速に生み出すことは、必要な声を黙殺し過去を破壊的な形態へと戻しかねない」からである。新しい博物館学は過去の表象の再解釈に成功したが、その影響は批判的に考察される必要がある。伝統的なナショナルな解釈と未来に基づく解釈との溝は、ポピュリストおよび／または過去に関する非専門家の説明によって埋められてしまう可能性があるからである。

　持続可能性に関連するモデルは遺産の保存と管理に人間が介入することの

＊＊＊＊＊＊＊＊＊＊＊＊＊＊＊

23　表象・展示・芸術という視点から、文化遺産と欧州の複雑な歴史の関係について考察したプロジェクト。詳細は付録を参照。

重要性を結果として低減させる可能性があるが、分析範囲を適切に選択し、適用することは顕著な成果をもたらす。MEMOLAは「農村地域における持続可能な開発に向けた環境・文化的保全戦略を生み出すための遺産の」活用を通じて文化遺産が保全できることを示した。MEMOLAは「全体論的な観点から環境を」評価するだけでなく、環境の管理において人間的尺度にも重要な位置づけを与えている。

3.3 文化遺産コミュニティとガバナンス

14の計画は遺産コミュニティの役割の変化と、現代の欧州における文化遺産保存の社会的影響を重視している。最も重要なテーマは以下の4点である。(1) アイデンティティの参照点としての欧州の建設 (2) コミュニティ主導の遺産保護と遺産管理 (3) 遺産解釈の多重化から生まれる社会的活動 (4) 参加型遺産管理とガバナンス。

アイデンティティの参照点としての欧州

CoHERE[24] に関連する研究では、「『欧州遺産』の特徴づけと構築は、『欧州の記憶』とは異なり学術機関ではなく公共機関が主として行ってきたが、これは欧州連合が資金提供する実行中の研究プロジェクトの対象範囲が変化したためである」と述べられている。COHESIFY[25] の研究目的はこれを例証している。COHESIFYは欧州市民が欧州構造投資基金とどう関与しているかを解明し、「これらの投資基金が欧州計画に対する人々の支援ととらえ方にどのように影響するか」を明らかにすることを目的としているからである。さらに、PERCEIVE[26] の目的は「多様性の中での結束に関する包括的理

＊＊＊＊＊＊＊＊＊＊＊＊＊＊＊

24 ニューカッスル大学（英）が主導するプロジェクト。包摂と排除の観点から文化遺産を研究。詳細は付録を参照。
25 欧州連合構造投資基金の効果、欧州連合市民による理解や認識について研究したプロジェクト。詳細は付録を参照。
26 欧州連合を欧州連合市民がどう捉えているのか、アイデンティティとどうかかわっているのかを研究したプロジェクト。詳細は付録を参照。

論」を構築し、結束政策 Cohesion Policyの影響に対する市民の認識を高めることにある。このアプローチは、**欧州という概念の捉えられ方が地域ごと、国家ごとに異なるだけでなく、こうした地理的・政治的単位の中に暮らす人々の階層や集団という点でも異なっていることを強調している。**

COHESIFYで実証されているように、「様々な研究により、欧州連合は欧州を象徴する様々なもの、ユーロ、メディアキャンペーン、エリートの言説と語り、市民と大学生の国境を越えた交流の促進を通じて欧州のアイデンティティ形成に貢献してきた」といえる。それにもかかわらず、「ERASMUSのような国際的な交流政策の効果には否定的な意見もあり、これらのプログラムに参加するのは欧州連合にアイデンティティを感じる可能性の高い、教育水準の高い人々に偏っていることと、「勝ち組は負け組よりも欧州連合に積極的にアイデンティティを感じる可能性が高い」ことを考慮すれば、これらのプログラムは対象の設定が不適切であることを忘れてはならない。**欧州連合が支援するトランスナショナルまたはコスモポリタン的なアイデンティティや記憶と、ナショナルで「敵対的で、ボトムアップ方式で、右翼的で、ポピュリスト的な追憶」を対置している計画もある。**UNREST[27]が捉える「敵対的な記憶」agonistic memoryの概念は、「欧州連合の基本理念を見失うことなく、広範囲にわたる歴史的な記憶への「不満」に取り組む機会」として有望である。

文化遺産に関する研究は、特に経済的・社会的条件の急速な変化によりアイデンティティの淵源を奪われていると感じ、それゆえに脅威を覚えいっそうポピュリズムにさらされていると感じる集団を明らかにするためのものの一つである。排他的アイデンティティを代替するものを提供するために、文化遺産は、欧州統合によって提供される機会にあまり気づいていない社会層において、遺産コミュニティの認識のための包摂的かつ堅固な参照点となり、実践の場を提供する可能性を秘めている。

欧州水準でのこのようなネットワークベースのコミュニティの好例は

＊＊＊＊＊＊＊＊＊＊＊＊＊＊＊

27　UNREST（Unsettling Remembering and Social Cohesion in Transnational Europe）。
　　戦争にまつわる文化遺産と記憶について研究したプロジェクト。詳細は付録を参照。

SIGNHUB[28]である。SIGNHUBは「欧州の様々な聾者コミュニティにおける個人的・集団的記憶に関する年配手話話者の生きた語りのデジタルアーカイブを制作し、分析し、利用できるようにすることによって欧州の言語文化遺産の一部を保存する」ことを目的としている。

コミュニティ主導の遺産の保護と管理

　お仕着せの欧州アイデンティティに関する現在の危機に基づいた議論と、地域コミュニティが持つ他とは違った欧州人としてのあり方の表現に対する評価の高まりが結びついたことは、地域主導型の文化遺産活動の研究・開発につながった。文化遺産に基づく欧州のアイデンティティには、国家的・地域的アイデンティティと競合しない欧州の多様性を尊重することにより、議論の余地のない中核が必要である。RICHESが考察したご当地メニュー運動とその広がりはこのような中核を生み出した好例といえる。EUNAMUSで言及されているように、博物館には自治体レベルの博物館に加えて地方レベルのものや民族を対象としたものもあるが、これらは合わせて「一口に欧州市民といってもその意味は様々であることを思い出させるモザイク状のアイデンティティを形成する。そしてこうした所属の複数性は欧州市民権の統合を容易にするかもしれない」といえる。

　上記計画には遺産を「見る者」の役割を議論し、遺産に関与する人々の関わりを活性化するものもある。それは実践とパフォーマンスとしての遺産の学問的枠組に従っている。**MELAは多文化的背景を持つ新しい種類の訪問者とその認識や博物館に求めるものについて、欧州の博物館はさらなる情報を得るべきであると提案している。これは博物館だけでなく遺産に関するすべての文脈で重要である。**

遺産解釈の多重化から生まれた社会的活動

　文化活動とその解釈が加速度的に増加する中で、今日の欧州の人々は指針

＊＊＊＊＊＊＊＊＊＊＊＊＊＊＊

28　手話のオンライン文法書・図解書の開発、手話使用者の記憶のデジタルアーカイブ化を中心としたプロジェクト。詳細は付録を参照。

を求めるようになっている。**遺産制度がこの状況下で負う責任は重大である。**TRACESは、共同の博物館学とコミュニティベースの展示の可能性を探っている。このアプローチのおかげで、欧州は「カナダ、アメリカ、オーストラリア、ニュージーランドの旧入植者社会」から学ぶことができる。これらの国々では「共同の博物館学が、博物館の収蔵品に表象される人々の、収蔵品とその展示に関する自らの権利の要求から発生」した。「コミュニティベースの展示では、博物館はコミュニティが遺産への関心と見方を表すための専門知識と資源を提供する。一方、多義的な展示では異なる視角が交錯し、共存することが中心となる」と述べられている。

参加型の遺産管理とガバナンス

　効果的な参加型文化遺産管理の実施は、欧州のアイデンティティ形成における現在の対立の解決策となり得る。EUNAMUSは、博物館の展示と「欧州全体の実際の博物館政策」の両方に存在する「博物館ユートピア（EUtopia, Multicultural Utopia, National Historical Utopia）」の重複の問題に取り組んでいる。HERILIGIONは、現在におけるヨーロッパ・アイデンティティのもう1つの重要な要素である「以前は遺産と見なされていなかった、宗教的な場・物体・活動の遺産化」を明らかにしようとしている。こうした遺産化は「遺産と宗教的要素の間、宗教的・世俗的聖別と使用の間、異なる分野と管理体制の間に緊張を引き起こしかねない」。CULTURALBASE[29]によると、これらの複雑な過程は新しい文化遺産ガバナンスと「強い共有感覚、（中略）アクセシビリティ、共通管理、相互の育成をともなった新しい科学的・芸術的創造の形態」を求めているという。

＊＊＊＊＊＊＊＊＊＊＊＊＊＊＊＊

29　デジタル化時代・グローバル化時代における文化的アイデンティティ・文化遺産・文化的表現の関係を考察したプロジェクト。詳細は付録を参照。

4. 欧州文化遺産研究のパースペクティヴ

　前章までに検討したプロジェクトの豊富な理論的・実践的研究とガイドラインから、欧州文化遺産に関するさらなる研究において予測される可能性と問題が浮かび上がってくる。本章では下記3項目を軸に、文化遺産についての提案と結論を示す。以下本章では（1）欧州文化遺産、（2）現行の文化遺産の実践課題、（3）現行の欧州文化遺産の研究計画の3点について、関係する問題・目標の点から述べる。

4.1 欧州文化遺産の現在と近未来

　欧州文化遺産は発展の途上にある。政府関係者か学会関係者かを問わず、主要な関係者間には文化遺産に関する合意があり、文化遺産は欧州の多様性とその多様性が認知されていることを示せるだけの複合的性質をもつはずであるといって差し支えないだろう。以下の3目標はこの多様性を理解するための今後の欧州文化遺産に関する研究の指針である。

欧州文化遺産の定義づけにおける言語的・地域的差異
　欧州のアイデンティティは多層的に構成されており、欧州文化遺産の定義には欧州レベルでのさらなる比較研究が必要である。
　「文化遺産」の理念は米英仏における（すなわち英語とフランス語における）内的な発展の結果であった。英語とフランス語はまたユネスコ（文化遺産に関する国際的な言説について基準を提供する初の機関であった）や欧州の諸機関の作業言語でもあった。その一方で国際的な議論は、欧州と世界の他の国の間で、また欧州各国間で起こりうる曖昧な議論をさらに不鮮明にする傾向にあった。［日本語の「文化遺産」に相当する］cultural heritage（英語）とpatrimoine culturel（フランス語）でさえ必ずしも同じ意味ではなかった。**国際的な議論の浸透は欧州各国の法的、公的、学術的、一般的な場における議論に影響を及ぼした。各国は文化的資産／モニュメントに関する様々**

な用語を並存させたり（以前のレジームの特徴であった用語や国際的議論からの受け売りである現行理念が混在した）、100年もの歴史を持つモニュメントの保護活動の主体を文化遺産関連機関に移管したりと、様々な対応をとった。RICHES[30]は、第三レジームの文化遺産に関する網羅的用語集の作成を意図した重要な計画である。RICHESが提示する用語集が文化遺産に関する欧州の他の言語での議論を包含して発展していけば、欧州連合内の様々な行政機関における文化遺産用語の注意深い使用が極めて重要であることが周知されるだろう。

　用語が統一されずに使用されているため、同様の語であっても地域によって意味が異なっている。もっとも大きな差異は旧東側陣営と西側陣営の間にある。西側諸国の民主化が70年代からの文化遺産の発展に部分的に寄与した一方、旧東側諸国は同程度の社会的・文化的運動を経験できなかった。それゆえ1990年代に見られた文化遺産理念の発展は、必ずしも同じ現実や改革を反映したものではない。さらに、文化遺産を過去の通俗的な解釈として用いれば、批判的なアプローチにはならない。それどころか、洗練されておらず、神話的で、ポピュリスト的な道具となる可能性がある。また、無形文化遺産の保護に関する条約の承認と欧州連合加盟国で承認された数々の無形遺産によってさらなる差異も明らかになった（図3）。こうした北欧と南欧の差異は、2000年代の文化会議における文化の意味と文化的権利の定義に関するゲルマン語的立場とロマンス語的立場の論争にさかのぼる（Melot, 2012）。これはいまだに学術的論争で多大な影響力を有するものだが、欧州の現在の文化遺産の意味についての共通理解を得るためには検討が必須である。下の2枚の地図は欧州におけるユネスコの無形文化遺産論の受容の状況と、無形文化遺産に指定される遺産が近年北方でも増えていることを示している。無形文化遺産が（ベルギー、クロアチア、スペインといった膨大なユネスコ遺産を擁する国家で）現代の国家建設にいかに寄与しうるかを研究することには意義があり、また一義的にゲルマン的要素（「共同体において共通利益をまとめあげる思想と行為」）に他ならない無形文化遺産が、どれほど多様に定義さ

＊＊＊＊＊＊＊＊＊＊＊＊＊＊＊

30　http://www.riches-project.eu/riches-taxonomy.html

れうるものであるのかを検討するのも価値がある。

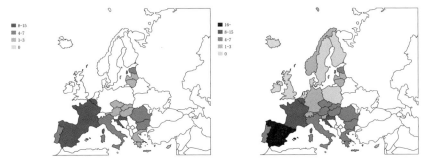

図3．欧州諸国におけるユネスコ無形文化遺産の数（左2015年、右2016年）

【左】　　：0　　　：1-3　　　：4-7　　　：8-15、

【右】　　：0　　　：1-3　　　：4-7　　　：8-15　　　：16-

　COHESIFYが明らかにしたように、文化遺産の解釈は南欧と北欧といっ た大きな地域間だけでなく国ごとにも地域ごとにも異なっている（図4）。**欧 州文化遺産と各国の文化遺産の議論の受容と、それが欧州のアイデンティ ティ形成に言語的・歴史的に及ぼしてきた影響の考察は、欧州文化遺産研究 の重要なテーマである。**

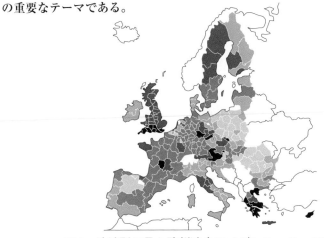

図4．地域別に見た欧州連合アイデンティティの位相

【イメージ―感情】　　：肯定的-肯定的　　　：中立-中立　　　：中立-親近感、

　　：否定的-親近感　　　：否定的-中立　　　出典：COHESIFY研究報告書（6）

現在の欧州都市遺産理念

　世界的に見れば、欧州における都市遺産保全の長い伝統は特異なものである。これは世界遺産リストにある数百もの欧州都市遺産が証明しているだけでなく（Vahtikari, 2017）、欧州と周辺地域における都市保全のための特別な理念と管理手法の開発を目指す「古都／都市計画におけるコミュニティ主導型都市戦略[31]」や「総合（都市）文化遺産保全計画」といった近年の取り組みからも明らかである（Pikard, 2016）。こうしたイニシアティブには歴史的都市景観アプローチが有益である。この手法が目指すのは、歴史的環境の維持と現代の都市開発、そして地質学的背景という3者の相互関係を持続可能性の増大と危機管理の強化のために再構築することであり、また一方では都市の形態や建造物の構造・建築資材における調和と連続性を取り戻すことである。さらには地域の文化的伝統を地域計画と都市デザインへと再導入することや、都市文化遺産の解釈・計画・保全の過程において無形遺産の価値を適切に位置づけることも目的としている（Sonkoly, 2017）。**無形都市遺産は新しい重要な研究領域である。現代まで残った様々な都市工芸品と創造産業の関係の比較、都市マイノリティの文化遺産の持つ包摂性 inclusiveness の比較、移民によって育まれた文化的創造性の比較といった研究を通じて、欧州を見る新たな眼を提示できるであろう。**

ヨーロッパ的な場と出来事を作り、評価すること

　欧州アイデンティティを建設的で満足のいくものにする要素を決定するに当たって、現在の欧州文化遺産は大きな可能性を秘めているが、その際には文化遺産の複合的な性質、内的差異、関係する地方・地域・国家の価値観が考慮される必要がある。欧州文化遺産を何らかのかたちで衆目に提示することは必要不可欠であり、2018年の欧州文化遺産年は欧州遺産週間、欧州歴史街道 Cultural Route of the Council of Europe、欧州遺産認定制度、欧州連合文化遺産賞といった欧州アイデンティティにまつわる既存の要素をまとめて（再）評価・発展させるまたとない機会となった。こうした取り組みはヨー

＊＊＊＊＊＊＊＊＊＊＊＊＊＊＊＊

31　COMUS, https://rm.coe.int/16804932fb.

ロッパを表象するためのものである以上、相当な財政・情報交換の強化と、(特に欧州歴史街道と欧州遺産認定制度では) 効果的な調整とが求められる。一連の計画が単に上意下達的に押し付けられたものではなく、学術的な承認・評価・参加を求める欧州共有アイデンティティの庇護者として相応しいことを証明するためには、批判的かつ共創的な研究が欠かせない。**国際的な地平でいえば、遺産に関する革新的アプローチを促進し、EU内外で欧州の文化的豊かさを周知するために、欧州連合は加盟国の世界遺産登録共同申請を奨励し支援することができる。**欧州文化遺産年は文化遺産の象徴的価値に焦点を当てたものだが、欧州の文化遺産が持つ経済・社会・文化[32]・外交的重要性も強調する必要がある。

4.2 現在の文化遺産の実践的課題

現在の文化遺産の総合的な定義には、新しい概念化だけではなく、関係するコミュニティと個人も含む広い射程の新しい技術と実践が求められる。複雑性の中で文化遺産を評価するための横断的な研究計画と指標の作成、評価方法の構築が必要である。遺産を持つコミュニティは近年急速に増加しつつあるが、本節ではその点から課題を3つに分類した。

文化遺産の定義と評価に関する横断的協力

本稿で考察した諸計画は、文化遺産に関する横断的協力には成功したが、遺産関係者[33]と学会の連携を促進するためのさらなる研究計画が必要であるという見解で一致している。現在の横断的協力関係は、有形・無形遺産が等

＊＊＊＊＊＊＊＊＊＊＊＊＊＊＊＊

32 「ここで『文化的』ということばが強調されているのは、文化遺産が祭りやイベントで欧州の文化を祝い、記憶の場を明示することによって (欧州の) アイデンティティと所属を表現するだけの存在ではないことを示すためである。遺産は持続可能性の大黒柱でもある。遺産は社会的・経済的活動と密接に関連しており、ソフトパワーの重要な要素となっている」(ションコイ)

33 「遺産関係者とは、遺産関連の経済活動から生計を立てているか、遺産関連機関で働いている (あるいはその両方に該当する) 個人または企業を指す。具体的には、文化観光従事者、祭りで演奏したり何かを制作したりする人々、文化財や芸術の修復に当たる人々、博物館職員、自然公園の専門家といった人々を指す」(ションコイ)

しく保全され、それぞれの特性が考慮されるという文化遺産の現行の理念を享受している。これらの計画は当該分野に先鞭をつけたものであり、文化遺産領域の広い多様性の中における実践の好例と認められる。欧州連合らが推進する文化遺産計画は増加しており、短期的・長期的影響の分析には体系的かつ全体論的な影響評価が欠かせない。この評価の指標とすべきなのは、欧州文化遺産の活用ならびに認識における文化的創造力の新たな理念、共創的な横断的協力の度合い、参加者の水平的ネットワークの強さである。都市の周縁地域や地方における創造性の過程や、マイノリティ研究が浮き彫りにするマイノリティ特有の困難と機会にもいっそうの注目が向けられてもよいといえる。

文化遺産コミュニティと文化遺産に関する権利

　上記のような協力を成功させるには現在の文化遺産の直接参加的な管理が必要であり、そのためには文化遺産の複雑性に関する学際的研究が求められる。研究者と関係者の連携を強化し、実証的根拠と支援者を増加させ、関係者の相互関係を緊密にするための専門知識と資源を蓄積するためには、欧州連合が近年発表した直接参加型管理に関する強力な声明が考慮される必要がある。文化遺産の管理は欧州文化遺産の基本的な管理者である文化遺産コミュニティの再定義を意味する。現在の文化遺産は複合的な性質を持つため、遺産コミュニティもまた社会的にも文化的にも多様な要素からなるものになった。遺産コミュニティのこうした多様性と流動性は、他者や場所、景観との相互作用の中で人々がどのように遺産を経験するのかということについても、いっそう微妙なニュアンスを考慮した研究の必要性を惹起する。さらに文化遺産の真正性 Authenticityと完全性 Integrityの概念——有形文化遺産の2つの基本理念——は、再考・再定義されねばならない。遺産の保存法と現行の変容の管理法を遺産コミュニティに例示し、文化遺産評価用語を研究者が理解できるようにするためである。文化遺産を動態的に定義することは、文化遺産を持つコミュニティの外部との関係とその遺産自体との関係を修正するが、これにより文化圏と文化財 cultural goodsの（再）獲得の問題が生じる。遺産コミュニティの包摂性に対して人権論が及ぼす影響を検討

することも重要である。

文化遺産のデジタル化のインパクト

　文化遺産に関する所有権の主たる領域の一つは、文化遺産の広範なデジタル化から生じた。デジタル化は、一見すると文化遺産を一般へと開放する最も簡単な手段である。しかし、デジタル化という現象によって社会資源としての文化遺産に一般人がアクセスしやすくなるという見込みはまったく外れている。それどころかデジタルディバイドによって疎外の新旧の形態が入り乱れることとなったのである。これはデジタル技術を通じた遺産の社会的活用が、新しいコミュニティと実践を文化遺産の管理と経験に統合しながら拡大していくことがないという意味ではない。例えばインターネットを用いれば、ある土地に物理的に存在していなくとも遺産コミュニティの一員となることが可能である（例えばSNS上の遺産保全議論や保存団体）。様々な社会・文化・専門家集団によるデジタル遺産の使用は、文化遺産活用における行為の可視性と仮想現実の社会的効果について考察する研究の必要性をもたらす。公私それぞれの領域を行き来することが容易であることは、現代の文化遺産における重要な実践的結果を持つ大きな理論的研究領域を決定する。この問題は文化遺産の派生物（パフォーマンス遺産、生きている遺産、文化的権利）やその利用（有形・無形文化遺産のデジタル化、財産権、アクセス可能性、文化観光）とその科学的評価に直結するからである。この分野の研究者は、多くの問題を抱えるオープンアクセス／オープンサイエンスの問題と同様に、知的財産権と著作権の問題にぶつかることが多い。

4.3　現在の欧州文化遺産に関する研究課題

　文化遺産研究者は、欧州文化遺産の興隆の解釈と、文化遺産研究の（学際的）研究環境を整える上での主役である。欧州文化遺産の専門家だけでなく、学界外の文化遺産保護関係者にとっても魅力的な研究環境が求められる。現行の文化遺産研究と諸計画を第一・第二レジームの遺産をめぐる長年の研究成果に対応させるため、ひいては欧州文化遺産の中で明示された社会・経済・

政治的実践に対応させるためには、専門家と保護関係者両者のパラダイムシフトに加え、欧州各機関による大規模な支援が必要である。

第三レジーム文化遺産の学術的定義

　本節まで述べてきた14の計画に基づく分析は、David C. Harveyによる2001年の指摘の有効性を改めて認識させる。Harveyによれば、遺産という事柄は近年のポストモダン的な経済的・社会的変容の産物としてだけではなく、百年にわたる時間的・文化的な道筋として見るべきであるという。遺産の歴史性を理解することは、転じて遺産が現在どのように活用されているかを理解する一助となる。それゆえ欧州遺産自体とその理念の歴史は研究に値するといえる。Harveyの研究は社会科学と人文学に文化遺産を分析するための特別な役割を賦与する。華々しい技術的発展の一方、過去と過去を文化遺産というかたちで示すことに魅了される人間がなぜとめどなく増えるのか、欧州現代化の歴史に現在のこのような過程がいかに結び付けられうるのか、そして歴史学的・考古学的遺跡コミュニティの持続性と復元性の分析によって、さらに昔の時代の歴史とさえ現行の過程がいかに結び付けられうるのか。こうした問いを理解するには、人文学と社会科学の果たす役割が必要不可欠である。文化遺産研究には学際的かつ分野横断的なアプローチが必要である。こうしたアプローチによって、学術畑ではない関係者に対しても、効果的な文化遺産の管理のためには人文社会科学の批判的な視点が必須であると証明できる。

欧州文化遺産の新たな批判的方法論

　このような批判的で包括的な欧州文化遺産研究を生み出すには、人文学・社会科学とその他文化遺産研究関連分野におけるパラダイムシフトが必要である。ここでいうパラダイムシフトとは、すでに発生した方法論的「転回」とは異なる。なぜなら今回は当該学問分野のパラダイム的再定義だけではなく、学術を超えた社会の中でそうした定義を位置付け直すことも要求されるからである。コミュニケーション、普及、共同的創造に関する新たな方法論的なツールが必要であり、本稿で扱った各プロジェクトはそれを達成すべく

先駆的な役割を果たしている。批判的文化遺産研究には、新たな方向性の技術開発だけでなく、共創の技術や方法が必要であるということについて、学会で生まれつつある考え方も必要とされる。批判的文化遺産研究の何よりの強みは、文化遺産研究を奨励し、参加を促すことを原則としている点である。というのも、文化遺産研究者は幅広い層の一般市民と共同作業を行うために招かれるが、一般市民は文化遺産の「専門家」や「学者」に何を期待すればよいのかわかっているとは限らないからである（Martimort, 2012）。両者の差異は共創的な文化遺産実践の指針において研究され、統合されうる。**文化遺産研究を欧州全体から俯瞰すれば、複数国による一つのプロジェクトが、各国の個別に実施するプロジェクトの総和よりも大きな成果を上げられるようにするためには、方法論的ナショナリズムを避けるべきであるといえる。**

欧州文化遺産のための全体論的研究課題

欧州連合の資金提供を受けた文化遺産研究を見ると、全体論的アプローチの重要な要素が浮かび上がってくる。今後の研究にはこうした要素を広く取り入れていく必要がある。現在の欧州に関する研究・改革大綱であるHorizon2020は、新テーマ（景観、戦争遺産、参加、文化的リテラシー、持続可能性、文化遺産の社会的価値）の導入で研究テーマを刷新した。これらはファロ条約の理念的枠組みにも既に導入されている。**しかし制度的枠組みは、初期の文化遺産レジームから生じた「有形文化遺産対無形文化遺産」、「自然遺産対文化遺産」、「遺産のデジタル化対遺産保全の伝統的な手法」といったかつての二元論で分裂したままである。**Horizon2020第6回大会は適切な全体論的アプローチが入るための余地を作り出したが、その重要性と比していまだ限定的である。これは2020年以降の研究大綱の主流となるべきである。文化遺産関連計画に申請が殺到したことは、欧州文化遺産に関する全体論的研究が潤沢な予算を必要としていることの証左である。

文化遺産研究に関する包摂的で学際的なアプローチは、批判的文化遺産研究の各部門の全欧州的な連携、部分的に共通した計画の設定、そして遺産研究と遺産学の専門的な組織化を促す全体論的研究計画の策定をもたらした。この研究計画は、散在している伝統的な官・学の遺産関連分野を統合し、現代

の文化遺産の包括的な理念に関わる主要な学際的な課題を明らかにすることに貢献するだろう。伝統的な学問分野は各国の国家機構の中に固定されているが、文化遺産研究は始まってまだ日が浅い。これは文化遺産研究の学問分野における位置づけが、加盟国間だけでなく同じ国の中でも大きな差異を持つことを意味しており、それゆえ文化遺産研究は各国の学問的制度の中ではいまだに異彩を放っている。現在このように文化遺産研究をめぐる状況が流動的であることは、欧州文化遺産講座の認知度を高める上で有益である。欧州文化遺産講座は文化遺産に対する批判的なアプローチにおいても、欧州文化遺産を価値に基づいて認識するための学際的・共創的な方法論においても成果を上げる可能性があり、現在の文化遺産研究の成果を学界や教育界にもたらすことができる。

　最後に、今後の欧州文化遺産研究の枠組みとなりうる研究テーマの一覧を記す。

・文化遺産の理念と文化論の国際的（欧州連合、ユネスコ）受容、また国家 national、地域 regional、地方 local レベルそれぞれにおける受容の比較研究
・無形遺産とその重要性についての欧州における差異
・欧州内のモニュメント／有形遺産の保全に関する制度改革
・欧州の歴史的都市景観（小、中、大規模の都市）
・都市の無形遺産と創造産業の関係
・移民や文化的伝播が生み出した文化遺産のネットワーク的属地性 network-based territorialities と各国の文化の均質的属地性 homogenous territorialities
・デジタル時代の文化遺産の取り扱いにおける行為 actorship
・欧州文化遺産の認識と定義づけにおける関係者・実践者・研究者の協力の共同的創造法
・文化的景観に対する欧州のアプローチと農村遺産 rural heritage
・文化遺産の社会的重要性を認識した社会実践
・社会的・文化的不平等に対抗する文化遺産の形成と認識における参加の実践
・社会科学と人文学（相対的で学際的な視点からの欧州文化遺産講座と欧州文化遺産研究）に対する文化遺産の制度化による影響

主要参考文献

Abélès, Marc, "La Communauté européenne: une perspective anthropologique". *Social Anthropology* 4 (1996) : 33-45.

Alsayyad, Nezar (ed.) , *Consuming Tradition, Manifacturing Heritage. Global Norms and Urban Forms in the Age of Tourism.* New York: Routledge, 2001.

Bendix, R.F., Eggert, A., Peselmann., A. (eds.) , *Heritage Regimes and the State.* Göttingen: Universitätsverlag Göttingen, 2012.

Campbell, Gary, Smith, Laurajane & Wetherell, Margaret, "Introduction: Nostalgia and heritage: potentials, mobilisations and effects". *International Journal of Heritage Studies* 23: 7 (2017) : 609-611.

Cameron, Christina, Rössler, Mechtild, *Many Voices, One Vision: The Early Years of the World Heritage Convention.* Farnham, Surrey: Ashgate, 2013.

Cram, Laura, "Introduction: banal Europeanism: European Union identity and national identities in synergy", *Nations and Nationalism* 15:1 (2009) : 101-108.

Crouch, David, "The Perpetual Performance and Emergence of Heritage", in Waterton, E., Watson S. (eds.) , *Culture, Heritage and Representation.* Aldershot: Ashgate, 2010: 57-71.

Dicks, Bella, *Heritage, Place and Community.* University of Wales Press, 2000.

Dittmer, Jason, Waterton, Emma, "Affecting the Body: Cultures of Militarism at the Australian War Memorial", in Tolia-Kelly, D.P., Waterton, E. and Watson, S. (eds) , *Heritage, Affect and Emotion.* Abingdon: Routledge, 2017.

Elerie, Hans, Speck, Theo, "The cultural biography of landscape as a tool for action research in the Drentsche Aa National Landscape (Northern Netherlands)", in Bloemers, T., Kars, H., van der Valk, A., Wijnen, M. (eds.) *The Cultural Landscape Heritage Paradox. Protection and Development of the Dutch Archaelogical-historical Landscape and its European Dimension.* Amsterdam: Amsterdam University Press, 2010: 83-114.

Fabre, Daniel (ed.) , *Émotions patrimoniales,* Paris: Éditions de la Maison des sciences de l' homme, 2013.

Graham, Brian, Ashworth G. J., Tunbridge J. E., A *Geography of Heritage. Power, Culture and Economy.* Arnold: London, 2000.

Gregory, K., Witcomb A., "Beyond Nostalgia: The Role of Affect in Generating Historical Understanding at Heritage Sites", in S. J. Knell, S. Macleod and S. Watson (eds.) , Museum revolutions: *How Museums Change and are Changed.* Abington: Routledge, 2007: 263-275.

Haldrup, Michael, Bærenholdt, Jørgen Ole, "Heritage as Performance", in *The Palgrave Handbook of Contemporary Heritage Research,* Waterton, E., Watson, S. (eds.) . New York: Palgrave Macmillan, 2015: 52-68.

Hall, Stuart, "Whose heritage? Un-settling 'the Heritage', re-imagining the post-nation." In *The Politics of Heritage: The Legacies of 'Race'*, edited by Jo Littler and Roshi Naidoo, 23-35. London: Routledge, 2005.

Harrison, Rodney, *Heritage: Critical Approaches*. London: Routledge, 2013.

Hartog, François, *Regimes of Historicity - Presentism and the Experience of Time*, New York: Columbia University Press, 2015.

Hartog, François, "Towards a new historical condition", in Bridge over troubled waters? The link between European historical heritage and the future of European integration, 9-12, European Union, 2015. (Hartog 2015b)

Harvey, David C., "Heritage Pasts and Heritage Presents: temporality, meaning and the scope of heritage studies", *International Journal of Heritage Studies*, 7:4 (2001) : 319-338.

Hevia James L., "World Heritage, national culture, and the restoration of Chengde." *Positions* 9:1 (2001) : 219-243.

Hewison, Robert (1987), *Heritage Industry. Britain in a climate of decline*. Methuen: London.

Hemme, D., Tauschek, M., Bendix R. (eds), *Prädikat 'Heritage'. Wertschöpfung aus kulturellen Ressourcen*, Berlin: LIT, 2007.

Hobsbawm, Eric, Ranger, Terence (eds.), *The Invention of Tradition*. Cambridge: Cambridge University Press, 1983.

Johler, Reinhard, "Local Europe. The Production of Cultural Heritage and the Europeanisation of Places". *Ethnologia Europaea. Journal of European Ethnology*, 32:2 (2002) : 7-19.

Jokilehto, Jukka, *A History of Architectural Conservation*. Oxford: ICCROM, 1999.

La Barbera, Francesco, "Framing the EU as Common Project vs. Common Heritage: Effects on Attitudes towards the EU Deepening and Widening". *Journal of Social Psychology*, 155:6 (2015) : 617-635.

Labadi, Sophia, UNESCO, *Cultural Heritage, and Outstanding Universal Value. Value-based Analyses of the World Heritage and Intangible Cultural Heritage Conventions*. Lanham: AltaMira Press, 2013.

Lähdesmäki, Tuuli, "Politics of affect in the EU heritage policy discourse: an analysis of promotional videos of sites awarded with the European Heritage Label". *International Journal of Heritage Studies*, 23:8 (2017) : 709-722.

Lazzaretti, Luciana, 2012. "The resurge of the "societal function of cultural heritage. An introduction". *City, Culture and Society*, 3:4 (2012) : 229-233.

Löfgren, Orvar, "Linking the Local, the National and the Global. Past and Present Trends in European Ethnology". *Ethnologia Europaea. Journal of European Ethnology* 26 (1996) 157-168.

Lowenthal, David, *The Past is a Foreign Country.* Cambridge: Cambridge University Press, 1985.

Macdonald, Sharon, *Memorylands. Heritage and Identity in Europe Today.* New York: Routledge, 2013.

Martimort, David, "La société des experts. Une perspective critique", in Haag, Pascal, Lemieux, Cyril (eds.) , *Faire les sciences sociales.* Critiquer, Paris: Éditions de l' École des hautes études en sciences sociales, 2012: 209-235.

Melot, Michel, *Mirabilia. Essai sur l' Inventaire général du patrimoine culturel.* Paris: Gallimard, 2012.

Meskell, Lynn, "Negative heritage and past mastering in archaeology." *Anthropological Quarterly* 75:3 (2002) : 557-574.

Pickard, Rob "Management strategies for historic towns in Europe", in Labadi, S., Logan, W. (eds.) , *Urban Heritage, Development and Sustainability. International frameworks, national and local governance.* London-New York: Routledge, 2016: 151-174.

Ronnes, Hanneke, Kessel, Tamara, "Heritage (Erfgoed) in the Dutch Press: A history of changing meanings in an international context." *Contributions to the History of Concepts,* 11: 2 (2016) : 1-23.

Rudolff, Britta, Buckley, Kristal, "World Heritage: Alternative Futures", in William Logan, Máiréad Nic Craith and Ullrich Kockel (eds.) , *A Companion to Heritage Studies.* Hoboken: John Wiley & Sons, 2016: 522-540.

Smith, Laurajane, *Uses of Heritage.* New York: Routledge, 2006.

Sonkoly, Gábor, *Historical Urban Landscape,* New York: Palgrave Macmillan, 2017.

Swenson, Astrid, *The Rise of Heritage: Preserving the Past in France, Germany and England 1789-1914.* Cambridge: Cambridge University Press, 2013.

UNESCO, Independent Evaluation by the UNESCO External Auditor, Vol. 1: Implementation of the Global Strategy for a Credible, Balanced and Representative World Heritage List. WHC11/35.COM/INF9A, http://whc.unesco.org/en/documents/106707 (accessed November 16, 2017) .

Witcomb, Andrea, Buckley, Kristal, "Engaging with the future of 'critical heritage studies' : looking back in order to look forward." *International Journal of Heritage Studies,* 19:6 (2013) , 562-578.

Vahtikari, Tanja, *Valuing World Heritage Cities.* London / New York: Routledge, 2017.

Winter, Tim, "Clarifying the critical in critical heritage studies." *International Journal of Heritage Studies,* 19:6 (2013) , 532-545.

付　録

付録 1
14の計画の概要

略称	状態[37]	期間	統括国	資金名	予算 (100万ユーロ)
CoHERE	進行中	2016-2019	イギリス	REFLECTIVE-2-2015 -Emergence and transmission of European cultural heritage and　Europeanisation	2.50
COHESIFY	進行中	2016-2018	イギリス	REFLECTIVE-3-2015 -European cohesion, regional and urban policies and the perceptions of Europe	2.45
COURAGE	進行中	2016-2019	ハンガリー	REFLECTIVE-4-2015 -Cultural opposition in the former socialist countries	2.48
CRIC	終了	2008-2012	イギリス	FP7-SSH	1.50
CULTURALBASE	終了	2015-2017	スペイン	REFLECTIVE-9-2014 -Social Platform on Reflective Societies	1.00
EUNAMUS	終了	2010-2013	スウェーデン	FP7-SSH	3.31
HERA JRPs	進行中	2004-	欧州ネットワーク	FP7-SSH and H2020 SC6	NR
MELA	終了	2011-2015	イタリア	FP7-SSH	3.27
MEMOLA	終了	2014-2017	スペイン	FP7-SSH	2.94
PERCEIVE	進行中	2016-2019	イタリア	REFLECTIVE-3-2015 -European cohesion, regional and urban policies and the perceptions of Europe	2.50
RICHES	終了	2014-2016	イギリス	FP7-SSH	3.01
SIGNHUB	進行中	2016-2020	スペイン	REFLECTIVE-2-2015 -Emergence and transmission of European cultural heritage and Europeanisation	2.52
TRACES	進行中	2016-2019	オーストリア	REFLECTIVE-2-2015 -Emergence and transmission of European cultural heritage and Europeanisation	2.71
UNREST	進行中	2016-2019	ドイツ	REFLECTIVE-5-2015 -The cultural heritage of war in contemporary Europe	2.49

CoHERE　https://research.ncl.ac.uk/cohere/

　このプロジェクトは、包含と排除という観点から遺産を分析することで、「緊迫しつつある欧州連合の危機」という課題に取り組む。欧州に平和的でコミュニティ主義的な社会関係communitarian social relationsを提供する上で、「欧州の諸遺産」と「欧州のアイデンティティ」が抱える問題と可能性

＊＊＊＊＊＊＊＊＊＊＊＊＊＊＊

37　ここに示す進行状況は本書執筆当時のものである。

を批判的に考察することを目的としている。CoHEREは、遺産を表象的で言説的で過程を重視する活動として解釈している。このような解釈は多義的であるため、「欧州の遺産」European heritageという単数形ではなく、「欧州の諸遺産」European heritagesという複数形が全編を通じて使用されている。より正確に述べるならば、CoHEREは、①欧州が歴史的にどう構築され、(無視されている語りも含めて)どう示されてきたか、②欧州の遺産とアイデンティティの内外における「他者」の位置づけ(特にイスラーム)、③遺産の背景にある文化的伝統、④欧州の遺産に対する深い理解を提供し、異文化間の対話を促進するデジタルテクノロジーの可能性、⑤学校における公式／非公式な学びの機会を通じた欧州アイデンティティの形成、⑥遺産の基本的要素としての食、の6点に注目する。CoHEREでは政策立案者と専門家から子供を含む一般市民まで、多様な人々が射程に含められている。

COHESIFY　http://www.cohesify.eu/

　このプロジェクトの枠組みとなっているのは、欧州計画の現在の正当性と欧州連合の市民による支持と共感を通じてその正当性を絶えず強化する必要性の問題である。COHESIFYでは欧州連合構造投資基金に関する欧州連合市民の認知と理解が特に注目されている。また、同基金による毎年500億ユーロの投資が欧州連合内で雇用を創出し、改革を促進し、環境を改善し、インフラストラクチャーを向上させたことが、欧州市民の欧州連合に対する態度と支持にどのように影響したかという点も注目されている。そのため本研究の主眼は遺産というより一般的な欧州アイデンティティや帰属意識となっている。さらに結束政策の既存のコミュニケーションを評価し、国家的・地域的水準で欧州連合の将来の結束政策を強化する方法とメカニズムも提案されている。

COURAGE　http://cultural-opposition.eu/

　このプロジェクトは、旧社会主義国家における文化的レジスタンス運動作品の収蔵品情報をインターネット上で可能な限り収集するものである。対象となる作品には、社会主義体制に敵対的なものから体制を遵奉しないアヴァ

ンギャルドな作品をはじめとした体制イデオロギーに疑問を呈するもの、反体制宗教運動、非公式の教育や出版のための一般人による計画、アンダーグラウンド・パンクバンドやロックバンド、新奇的なスピリチュアル活動が含まれる。社会的、政治的、文化的文脈の中で広く作品を分析し、国別の報告書、オンライン目録、デジタル教育コンテンツ、作品展示法といったものを提供することを目的としている。さらに139の収蔵品のレジストリーをもとにしたユーザーフレンドリーで検索可能なデータベースを構築する計画もある。COURAGEでは一般の支持者と歴史学者の「研究的な」語り方の距離に焦点を当て、歴史学の分析にとって新しく、堅実で、確立された学問的枠組みを作り上げる。

CRIC http://cordis.europa.eu/publication/rcn/14683_en.html

　このプロジェクトは、戦後社会が経験した難題に挑むため、文化遺産と戦争、破壊、復興の関係性を探求し、復興活動の短期的・長期的影響を研究する。「共有」遺産というスローガンに疑問を投げかけ、その代わりに遺産を固有のものとしても考える糸口を提供する。戦後の状況を地理的、言語的、人口統計的、歴史的に理解するため、事例研究としてスペイン、フランス、ドイツ、ボスニア、キプロスにおける戦争を分析し比較する。CRICの成果は①「場所の歴史」、②「記念日と記念行事」、③「主観的景観」の3点に集約され、それぞれをテーマとした学術書3冊にまとめられている。この3つの視点からすると、戦後の遺産は有形／無形の境界面でゆらぎを持つことが示された。また、復興活動の際に意図しない競争が引き起こされるメカニズムを特定したのもCRICの成果である。

CULTURALBASE http://culturalbase.eu/

　CULTURALBASEは、文化的アイデンティティ・文化遺産・文化的表現の3者の関係が、デジタル化とグローバル化を背景とした近年の文化的変容の一部として強化されたことを考察してきた。文化の抱える新たな問題と文化の持つ新しい可能性を分析するための鍵となるテーマが次のように三点定められている。①文化的記憶：暗い過去との向き合い方。現在を理解し未来

に備えるため、過去をいかに巧みに扱うか。②文化的包摂：文化と帰属意識との結びつき。支配的なアイデンティティから「取り残された者」や「外側にいる者」と文化との間にある重大な緊張関係とは何か。③文化的創造性：文化はいかにして市民にとって表現、参加、経済活動の基礎となりうるのか。CULTURALBASEでは、欧州のアイデンティティと各国のアイデンティティは深く絡み合い不断に交渉するものとみなされている。欧州の遺産を各国の遺産の寄せ集めとして見るのではなく、トランスナショナルなアプローチの価値が強調されている。また、普遍的でナショナルな記憶から周辺化され疎外された記憶が提示する問題を明らかにしている。

EUNAMUS　http://www.ep.liu.se/eunamus/

　EUNAMUSは、様々なアイデンティティ、価値観、市民権、紛争がともに展示される場として欧州各国の国立博物館を考察したものである。各国で国立博物館が形成されてきた歴史が、博物館の外部に位置する現在の博物館政策や政治情勢とともに考察されている。博物館の目標設定に際して、政策と政治が果たす役割は大きい。また、EUNAMUSでは来館者が国立博物館をどう体験したのかについて広範な調査が実施された。その結果、大多数の来場者が好む展示のあり方は単一国家／民族的なアイデンティティに基づくものであり、揺らぎがなく直線的な語られ方を望んでいることが判明した。ハイブリッドで、トランスナショナルで、コスモポリタン的な展示、あるいは解釈を個々人に委ねるような展示は好まれていなかった。一方でEUNAMUSは、国立博物館が「より多義的で、開かれていて、焦点を多数持った歴史」を伝えるべきであり、あるいはそうした歴史を伝えることが許されるべきであると提案している。また、マイノリティ集団の語りと経験が、各博物館の特に常設展示においていまだ全く不十分であることも明示された。EUNAMUSは国立博物館の重要性が永続的であることを確認している。「社会的な合意を強化し、欧州が不断に再交渉を続けていく中で博物館がどうあるべきかについて国際的な理解を強化するため、欧州のレベルでも、各国のレベルにおいても、国立博物館が利用できる」のである。

HERA Joint Research Projects

http://heranet.info/category/project-title/heriligion

　HERA JRPsは遺産関係プロジェクトの数件に資金を提供している。HERA JRPsはERA‐NET活動の一環であり、つまりは欧州連合から追加予算を受けた各国の財団の連合体である。HERA iC-ACCESSは、20世紀の集団的暴力やテロルに関する有形の痕跡と、その痕跡の（トランス）ナショナルな文脈における現在の利用を考察対象としている。東欧では、かつての「テロルの景観」の多くがいまだに論争の場となっている。この研究が全体として取り組んでいるのは「忘却と記憶のもつれ及び対立する語りの黙殺」と、それが遺産の多様な関係者に提起する問題である。HERILIGIONは宗教的な場・モノ・行為が遺産になる過程の多様な帰結について分析したが、こうした遺産化は現代において宗教的な要素が交わる「場」、つまり遺産と信徒、宗教的神聖化と世俗的神聖化及びその利用、異なる宗派と管理体制といったものが交わる場に緊張関係をもたらす。遺産化が宗教的な場の持つ非宗教的側面も神聖化する傾向にあることも指摘されている。

MELA　http://www.mela-project.polimi.it/

　MELAの概念的枠組みはヒト、モノ、文化、知識の加速する移動である。複雑で多様なアイデンティティと「移動する遺産」の表象に現代の欧州の博物館はどう対応できるのか。そして現代の「移民の時代」におけるグローバルとローカルの間の新しいつながりを創設することの課題と機会に現代の欧州の博物館はどう対応できるのかが考察されている。MELAは現在の各国の博物館が制度的な実践と語りを批判的に再評価すべきであると提案している。これは博物館の展示にトランスナショナルな行為者、影響力、ヒトの流入出、論議を呼ぶような意見、あるいは以前は排除されていた意見をも包含するためである。MELAは各博物館に対して、社会的・政治的変容を示す場として活発な役割を果たすことを奨励している。また徐々に移民コミュニティと協働すること、現在と将来の来館者の多様性を認めること、非公式な無形遺産に関する意見も含むよう所蔵品や資料収集活動を調整することも奨励している。

MEMOLA　http://memolaproject.eu/

　地中海沿岸山岳地域の文化的景観に対する学際的なアプローチである。農業システムに必要不可欠な自然資源である水と土壌が研究の主軸である。4つの研究地域（スペインのシエラ・ネヴァダ、イタリアのモンティ・ディ・トラパーニとコッリ・エウガネイ、アルバニアのヴョサ谷）で個別的な歴史学的・考古学的研究を行っている。景観の中に化石化して残存している歴史的痕跡を収集し検証する（考古学的フィールドワークと民族学的調査）ことにより、その農業システム（作物・家畜）を解明する。世界的な気候変動、欧州連合の政策・戦略を考慮しながら、農学的・水文地質学的資源運用モデルを通じて、上述の4地域における生産性と資源活用の有効性を検証する。地域コミュニティに適した形で長年口承されてきた知識に代表される無形文化遺産の重要性を強調する歴史的パースペクティヴから、環境への政策提言を行う。こうした無形文化遺産の保全は、農業生産面においても文化面においても地域の文化的独自性と伝統を維持することを意味する。

PERCEIVE　http://www.perceiveproject.eu/

　7か国で地域的事例研究を9件行い、機構としての欧州連合に関する欧州連合市民の理解を調査する学際的プロジェクトである。特に、自国外についての知識が欧州連合についての知識をどのように形成するのか、どの程度自らを欧州人と感じているのか、欧州の結束と地域・都市政策がアイデンティティ形成にどのように影響したか、EU結束政策の方策にどれだけ気付いているのかといった点を調査する。PERCIEVEの目的は、「多様性の中の結束」について包括的な理論を発展させること、そして結束政策の影響に対する市民の認識を増強することにある。したがって本調査の主眼は文化遺産ではなく、一般的な欧州アイデンティティにある。

RICHES　http://www.riches-project.eu/

　RICHESは欧州文化遺産の発信における変容の背景と、それが将来の文化遺産活動にもたらす意味、またデジタル化の時代にあらゆる関係者とコミュニティの利益に合致する（文化的、法的、財政的、教育的、技術的）枠組み

について研究する。本研究では、メディアで扱われている文化遺産についても扱われていない文化遺産についても、社会的・コミュニティ的発展への影響力を最大化する方針が特定された。研究成果は以下の8点に集約される。①文化遺産の定義に関するRICHES用語集、②デジタル著作権の枠組み：アナログからデジタル、そして新しい形態へと進む知的所有権の形態の変遷、③共創戦略：不随的戦略から可変的戦略へ、④技術復興にむけて：社会的、文化的、経済的、技術的原動力の再修正、⑤文化遺産機構：デジタル時代における変容、⑥食遺産と文化：変容する生産と消費空間、⑦欧州のマイノリティとアイデンティティ：デジタル時代における帰属意識と人間関係の強化、⑧文化遺産の経済・財政的側面。

SIGNHUB　http://www.sign-hub.eu/index.php

　SIGNHUBの目的は2点ある。1点目は手話であり、6つの手話（ドイツ手話、カタルーニャ手話、スペイン手話、イタリア手話、オランダ手話、トルコ手話）についてオンライン文法書と図解書を作成し、手話を評価するツールを開発することを目的としている。2点目は高齢手話使用者の記憶をデジタルオンラインアーカイブ化して提供すること、具体的には1950年代以降の欧州の聾者コミュニティ数か所を対象とした歴史的・言語的・文化的遺産の史料化である。遺産研究という観点から見ればおそらくこちらの方が重要度は高い。聾者向け施設における生活、第二次世界大戦、ユダヤ人大虐殺、内戦や冷戦の聾者コミュニティに対する衝撃、聾者コミュニティにおける多様なマイノリティの地位といったテーマは特に注目を集めつつある。広いアウトリーチを獲得するため、SIGNHUBはこうしたテーマに関するドキュメンタリー映画製作を支援している。また、過去の新たな見方を提供し、排除された人々の声を前面に押し出すという遺産研究の長期的目標とSIGNHUBは合致している。

TRACES　http://www.traces.polimi.it/

　TRACESは、現代欧州の複雑な歴史と遺産をめぐる軋轢について研究する。こうした内容は広く一般に伝えることが困難であるが、TRACESが述

べるように、感覚的かつ直接的・生産的な方法で伝えれば、そうした文化遺産は「自己認識や現在の批判的思考、そして異なる立場間での対話によって想像上の欧州を形成する、内省的な欧州化の過程に貢献することができる」と考えられる。文化遺産の物質性と表現に関する遺産活動やパフォーマンスの問題に取り組み、議論を呼ぶ文化遺産について効果的に伝えるための新指針を各文化機構に提供することを目指している。TRACESの主眼の一つは芸術、研究、遺産の媒介者と関係者の間にイノベーティヴな協力過程を築き、文化遺産とのかかわり方の新たな方法論を作り出すことである。

UNREST　http://www.unrest.eu/

　現代欧州の戦争文化遺産を分析し、「記憶の新しい批判的モデル」を提供するものである。記憶の第3形態である「論争的記憶」はトップダウン型の欧州連合の記憶に関する実践において優位にある「コスモポリタン的記憶」と、ボトムアップ型で、右翼的で、ポピュリズム的である「対立的記憶」の代替案として提唱された。本プロジェクトにおいて論争的記憶は欧州連合が掲げる基本的理念の見地を失うことなしに広範な記憶論争に立ち向かうための契機として理解されている。戦争に関する記憶文化の事例研究として以下の2点を分析する。①第一次世界大戦と第二次世界大戦に関する5つの博物館の歴史、受容、語り、芸術的・政治文化的背景、②3つの戦争（スペイン：1930年代のスペイン内戦、ポーランド：第二次世界大戦、ボスニア：1990年代のユーゴスラヴィア内戦）にかかわった人々の遺骨の発掘を取り巻く記憶文化。理論的・経験的成果を組み込むため、舞台演劇や博物館の展示がこのプロジェクトの枠組みとなる。

付録 2
中世以来の歴史を持つ木造建築の町ラウマ旧市街（フィンランド）保全の文脈から見た3つの文化遺産レジーム

　都市保全における欧州の流れに沿って、フィンランドの他の木造建築の町とともに、ラウマ旧市街はフィンランドの少数の文化エリートによって19世紀から20世紀の世紀転換期に遺産として発見された。この発見は、固有の民族的遺産を築こうとする一部の試みと同じく、都市の近代化に対する対抗であった。第一レジーム中、遺産保全の主要な理論的根拠は、中世的な街路網、主要な記念碑、町の古い景観の保全であった。

　第二レジームに対応し、また近代的保全に関する国際的に成文化された方法にも対応するため、1960年代後半からは、現存建築群の大部分の保全、保全過程において重要である正統な資材の使用の強調、建築群の分類、専門家が作成した体系的な目録に基づく価値が主な理論的根拠となった。こうした新しい基本方針に基づいた保存計画は1981年に適用された。他の北欧の木造建築の町も同様にICOMOSの2か年計画（1970-72）を背景に遺産の一分野として国際的に認知され、1991年にはラウマ旧市街は北欧の木造建築の町の代表格として世界遺産リストに登録された。

第三レジームの間、遺産に関する活動は拡大しつつある国際的指針に基づいて洗練され、部分的に再定義されてきている。例えばラウマ旧市街には「完全性」integrityと「緩衝地帯」buffer zoneという概念が導入されている。有形遺産と無形遺産の新しい要素と価値観が、何が都市の遺産を構成するのかという理解に組み込まれている。またラウマ旧市街が社会的・経済的資源となる可能性がさらに強調されている。

付録3
文化的景観としての欧州遺産認定遺跡

　欧州遺産認定制度に登録されている「トルミンのヤヴォルツァ教会と文化的景観（スロヴェニア）」は、全欧州的重要性を持った景観の自然的側面と文化的側面の間で生まれた、歴史の相乗効果の好例である。この教会はオーストリア＝ハンガリー帝国第三山岳旅団の兵士らによって、第一次世界大戦の際にイゾンツォ戦線で命を落とした様々な民族集団と国民を記念するものとして建設されたものであるが、その位置は特別である。付近のどの軍事要所からも見えるが、砲撃からは安全なのである。現在この地はオーストリアとイタリアの境界からほど近いジュリア・アルプスのトリグラフ国立公園となっている。

著者紹介

ションコイ・ガーボル　Sonkoly Gábor

（CSc, Hungarian Academy of Sciences /HAS/, 1998; Ph.D. EHESS, Paris, 2000; Dr. habil. ELTE, Budapest, 2008; Doctor of HAS, 2017）
ブダペシュトのエトヴェシュ・ロラーンド大学人文学部教授、歴史学・社会科学講座主任。人文学部副学部長。主要な著書に*Les villes en Transylvanie moderne, 1715-1857*（2011）や*Historical Urban Landscape*（2017）がある。ハンガリー語でモノグラフ3本を著し、書籍4冊の編者を務め、都市史、都市遺産、文化遺産についての批判的歴史に関する論文と書籍の章を17点ほど執筆。出席した国際的コロキアムは100を超え、五つの大陸の11か国で客員教授を務めた。TEMA+ Erasmus Mundus European Master's Course の European Territories: Heritage and Developmentの学術コーディネーターも勤め、欧州遺産認定制度選考委員団の一員でもある。2011年、フランス共和国国民教育省から教育功労賞3等勲章（シュヴァリエ）を受勲。

タニヤ・ヴァフティカリ　Tanja Vahtikari

(Ph.D., University of Tampere, Finland, 2013)
タンペレ大学社会科学部国際史講座上級講師。フィンランド・アカデミーと
コーネ基金の研究プロジェクトExperts, Communities and the Negotiation
of the Experience of Modernityが資金提供をしているタンペレ大学歴史体
験卓越センター（HEX）の一員でもある。2017年秋、エディンバラ大学人
文学先進研究所客員研究員。専門はユネスコ世界遺産、歴史的都市、パブ
リックヒストリー、都市の記憶。主著として*Valuing World Heritage Cities*
(Routledge, 2017）がある。

欧州連合についてもっと知りたい方へ

オンライン
欧州連合に関する情報はhttp://europa.euにて欧州連合の全公用語でご覧いただけます。

文書・書籍
有償・無償の出版物をダウンロードまたはご注文いただけます。 http://bookshop.europa.eu. 無償のものにつきまして複数部ご必要な場合はEurope Directか最寄りの情報局にお尋ねください (http://europa.eu/contact)。

欧州連合の法関連文書
全公用語による1951年以降の欧州連合法を含む欧州連合の法律関連情報についてはEUR-Lexをご覧ください（http://eur-lex.europa.eu）。

欧州連合公開データ
欧州連合公開データポータル(http://data.europa.eu/euodp/en/data) では欧州連合のデータベースにアクセスが可能です。無償にてダウンロード・利用ができます（商用・非商用とも可能）。

　　本報告書は2018年の第一回欧州文化遺産年を背景としている。共有された欧州の文化遺産が抱える可能性と問題点についての画期的な取り組みである。これらの複雑な論点を研究することは、全欧州、各国、地域のそれぞれの水準において、より良い教育・文化・社会その他の政策のための証拠と助言を提供することでもある。

　　本報告書は欧州連合が資金提供した文化遺産研究の最新情報を提供する。科学的・政策的文脈で幅広く考察したマッピ

ング演習に基づき、現在の文化遺産概念と、それに対応する
文化的、社会的、経済的、環境的な課題の両方を適合させ、
2020年以降の適切な欧州の研究枠組を達成するための提案を
行う。

「文化遺産」と歴史学の関係の定義 *

ションコイ・ガーボル

（訳：市原晋平）

　「文化遺産」と歴史学の関係を問いかけるとき、いつ（すなわち、この二つの概念の同時並行した歴史のうち、どの時期に）、そしてどこで、つまりどの言語圏やどの国家の機関でこの問題を調査したかに応じて、我々は異なる回答を手にする。表題にある二つの概念の制度化の歴史を判断基準とすれば、歴史学と「遺産」との共存は 18・19 世紀転換期から問題にすることができる[1]。ラインハルト・コゼレックのモデルから出発した場合には、この二つの概念は歴史的時間[i]が認識された結果生じたものだと言える[2]。ただし、国民国家や帝国のイデオロギーに沿って住民の文明化への需要が生じたところではどこでも、19 世紀の過程で歴史学が普及した一方で、「遺産」という概念は総じて 1960 年代まで、英語やフランス語における過去の捉え方という範疇にとどまっていた。

関係性の時代区分──「文化遺産」の諸レジーム

　この対立を解きほぐして分析するために、私はかつて、本稿よりも詳細な調査の中で、国際的な言説の概念史的分析を通じて、歴史学と「遺産」の共存を三つの時代に区分して検討した。この区分は「遺産」と歴史学の動態的

＊＊＊＊＊＊＊＊＊＊＊＊＊＊＊＊

*本稿は Sonkoly Gábor, "A kulturális örökség és a történettudomány viszonyának meghatározása", *Korall* 75, 2019, 5-21. を訳出したものである。以下の脚注は、URL の最終閲覧日を除き、すべて原文に基づいている。また、説明が不十分ではないと思われた箇所には、著者による追加説明などに基づく訳註を、本文中の ［ ］ の挿入及び文末註の形式で付している。

1　本稿では、古代から現在までの文化移転のほとんどすべての形態を「文化遺産」の範疇に含めるアプローチを採用しない。私見では、この考え方が概念史上の事実を考慮していないためである。「遺産」という言葉が「国民的」や「文化的」という指標とともに用いられ始めたのは、近代化によって危険にさらされていた財産の保護範囲を示す意図でそのような表現が用いられた 18 世紀以降のことである。
2　Koselleck, 2003.

な関係への理解を助けるものである[3]。この時代区分は「遺産」概念の修正と拡張を基準としており、その制度化の最も重要な転機ごとに「遺産」に関する三つのレジーム（支配的な形態）に分かれる[ii]。レジームという呼称は総じて、「遺産」に関わる現代の専門書の中で頻繁に登場する[4]。その呼称が用いられる理由は、「文化遺産」とは元々政治的・行政的概念であり、そこから学術的及び通俗的な言説の中に徐々に普及していった、ということによって特に説明できる。例えば、論文集『遺産の諸レジームと国家』の編者たちはレジームという概念を、国内及び国際的なレベルの両方で、国家の方針や社会的関係を規定する「規範とルールのシステム」と定義している。同論文集の編者たちは、「遺産」認定の仕方や「遺産の文化的資源としての活用法、そして遺産をめぐって生じる所有権や責任に関する問題」[5]への対処法の違いに応じて、様々な「遺産」のレジームを互いに区別している。「遺産」概念の継続的な拡張はその制度上の転換点に応じて、以下の三つの時代に区分しうる。

a：「遺産の第一レジーム」の形成は、近代化によって不可逆的な変化が起こったという感覚や、危険にさらされた有形の記念碑［＝記念建造物、文化財など］を体系的に保護しようという動きと同時期に生じた。これはイギリスでは 18 世紀に記念碑保護の計画とともに始まった。またフランスでは、革命初期に特徴的だった芸術品破壊（ヴァンダリズム）を抑制する中で、平等の原則を侵害する支配身分の財産を国有化した時に始まった[6]。この時、英語の「heritage」やフランス語の「patrimoine」という［ともに「遺産」を意味する］概念は、［財産相続にまつわる］法的な表現から、国家という共同体のアイデンティティを表現するものへと拡大した。有形の記念碑（後には特別指定景観も）の保護は 19 世紀の過程で、ヨーロッパの大部分の国々で開始された。一方で、近代化（そして文明国）のモデルであるこの二つの国家では、記念碑と

＊＊＊＊＊＊＊＊＊＊＊＊＊＊＊＊

3　Sonkoly, 2016, 2017.
4　Bendix - Eggert - Peselmann (eds.), 2012; Hartog - Revel (eds.), 2006.
5　Bendix - Eggert - Peselmann (eds.), 2012, pp. 12-13.
6　Sweet, 2016; Chastel, 1997.

いう概念と並んで「遺産」の概念も、前者との間での動態的な関係を形成しながら、存続した[7]。

b：「遺産の第二レジーム」は、当初人類共通の文化の形成のために設立された国際連合教育科学文化機関（UNESCO）が「heritage」と「patrimoine」の二つの概念の中に、英語圏及びフランス語圏の文化の捉え方の共通の範疇を見出し、その概念に普遍的な重要性を付与した時期に登場した。1972年の世界遺産条約、そしてそれに先立つ議論やその後の解釈及び批判は、「文化遺産」という言説が誘発させた一連の問題群をまとまった形で示している。「世界遺産」という概念の形成とともに「遺産」は、国際法の言葉を介して国内法にも浸透した普遍的な規範となった。そして、「遺産」概念のはっきりとした拡張とともに、「遺産」という言葉は国内の司法・行政及び政治的分野での言葉遣いのみならず学術的な言葉の中にも徐々に普及していった[8]。

c：「遺産の第三レジーム」は、20・21世紀転換期に始まったと考えられる。「世界遺産」の当初の構想への批判は、このころまでに一連の新しい「遺産」概念（無形遺産、文化的多様性、文化景観、文化的諸権利）を作り出し、体系化するところにまで至っていたためである。そのおかげで、すでにその時までに、「文化遺産」概念は、人文学・社会科学諸分野の

＊＊＊＊＊＊＊＊＊＊＊＊＊＊＊

7　アストリッド・スウェンソンは英独仏の遺産保護の比較分析をその前史とも関連付けて行っている。Swenson, 2013. スウェンソンによれば、19世紀のドイツにおける二つの概念（Denkmal（記念碑）と Heimat（郷土））の拡張は、英語やフランス語で「遺産」を意味する表現とも適合しうる。そのため、スウェンソンはドイツ語で相続財産や遺産を意味する Erbe という表現の検討を行わなかった。Erbe という概念には、レギーナ・ベンディクスもアイデンティティ構造の枠組みを分析する研究で一度だけ言及しているが、彼女によれば、Erbe は民俗学に属する語彙である。Bendix, 1997, p. 161. Erbe 概念の最新の分析については、Willer - Weigel - Jussen (Hgg.), 2013 を見よ。

8　今日の英語圏では、heritage が単に物質的で、人工的な「有形遺産」にのみ関連付けられるという例がなおも見受けられるが、そのような理解は、［19世紀イギリス上流・中産階級の「遺産」認識と共通するという点で］「エリート主義的な理解であるとされ、あるいは「支配者側が定めたような歴史」の中でのみ解釈可能なものであると馬鹿にされている」。一方で、［下層階級やマイノリティの過去もその研究対象としてカバーする学問分野としての］歴史学はより進歩的である。例えば以下を見よ。Tompson, 2014. この論稿は、特定の場合には、ある文化遺産が、それが元々形成された国による「遺産」の利用のやり方に適合しないこともある、ということに注目している。

伝統に基づいて、文化とアイデンティティという概念が適用されるすべてのものを含むようになっていた。

したがって、特に英語及びフランス語の専門書がこうしたレジームの変遷過程を取り扱ってきたことは驚くべきことではない。というのも、これらのレジームの変化は、異なる形ではあっても似たような概念（heritage 及び patrimoine）と結びついており、そして、その変化が同時期に起こったためである。拡張された「遺産」概念の受容はロマンス諸語間でさえも問題がないものではない。その言語的な近さ（フランス語の patrimoine とスペイン語の patrimonio）が、フランス語からスペイン語に借用されたその概念の本質を早々に見えづらくしている[iii]。その上、その他の諸言語における「遺産」概念の受容は特に込み入ったものとなっており、そのことに注目が集まることも今日に至るまでほんのわずかである。そうした諸言語における「遺産」概念は、［人文学などの批判的な研究アプローチにおいて用いられる概念・専門用語のように、］過去や文化の解釈に関わる数世紀にわたる実践を疑問視し、あるいは停止さえさせるものとして地位を確立し、そうしたものとして一般的に受容された。それゆえ、「文化遺産」に関しては、共通の基準に沿って拡大する国際的なモデルや言説を考慮に入れる必要がある一方で、国内の伝統や現在の政治状況に起因する受け取り方の違いをも同時に考慮に入れる必要がある。その概念を受け取る言語、国、社会集団ごとに受容の在り方はお互いに大きく異なっているかもしれないのである。文化遺産という表現が言語間で受け渡される際には、この言葉が、英語圏やフランス語圏の話法と一致した国際的な言説に適合していると同時に、それとははっきりと異なることも珍しくはないローカルな解釈にも適合していることによって、結果としてしばしばあいまいな意味合いが生じてしまうのだ。

歴史学と「文化遺産」の拡張

歴史学と遺産の関係が問題のあるものに変化していくのは、遺産概念が——ここではさしあたり文化遺産として——、それまでは国家（あるいは帝国）の枠組みに準拠した人文学・社会科学のために維持されてきた解釈の領域へと入り込んだ時、つまり、第二レジームの終わりごろである。第二レジームは、

時期としては、歴史学や隣接諸科学において、認識論に関わる抜本的な議論が開始され、「〇〇的転回」という集合概念によって記述される様々な変化へと到達した数十年間と同じころにあたる。これらの様々な「転回」は、部分的には、既存の学問分野の基底的パラダイムの刷新を求める分野内の要請によって説明できるが、また部分的には、当時の西洋社会の民主化によってもたらされた同時代の人々の精神的な変化に答えを求めようとした動きでもあった[9]。

　第三レジームの特徴は、「文化遺産」の取扱が行政面で目に見えて拡張されたことだけではなく、高等教育や学術研究において「文化遺産」が総じて非常に目立つ存在となったことにある。このおかげで、諸「転回」後の人文学・社会科学の代表者たちは、特に北米や西欧においてますます頻繁に、自身の学問分野と新たに生まれた「文化遺産学」との関わりを定義しなければならないという状況に至った。しかし、諸科学と「遺産」の間の境界の設定は簡単にはいかなかった。なぜなら、この境界は決してはっきりしたものでも、一貫したものでもなかったためである。同じ人物が、その状況に応じて研究者にも、「遺産」の専門家にもなりえた。［その「遺産」の］利用者たちの役割もはっきりしない。この人々は、過去に失われた文化、あるいは伝統的な文化の実践を現在のアイデンティティ構築に利用しながらも、当該文化財に対する歴史学的方法に基づく批判的解釈とその遺産的側面を重視した無批判な解釈との違いに気づいていたとは限らない。そのような中で「文化遺産」の領域は拡張し続けており、それゆえに歴史学であれ、その他のその人文系諸学であれ、アイデンティティ構築にかつて関わりがあったいかなるものからも「文化遺産」を分離することは困難になっている。

　第三レジームでは、「文化遺産」の学術的制度化は非常に明白となった。その二つのタイプに着目したい。一つには、次第に「有形遺産」として定義されるようになっている対象物の保全を課題として来た学問分野や学術領域がしばしば遺産学の範疇に含まれるようになった。フランスの国立遺産研

＊＊＊＊＊＊＊＊＊＊＊＊＊＊＊＊

9　Moody, 2015.

究所（Institut national du patrimoine）が 2001 年に設立された時のように、その制度的枠組みの再編も一度ならず生じた。もう一つには、人文学・社会科学系学部で文化遺産講座や専門コース、プログラムなどが登場した。そこにはその他の研究者からしばしば次のような疑問が投げ掛けられてきた。これらの新しい活動が誕生したのは、「文化遺産」によって引き出された新たな社会的現実を研究するためだったのか、それとも「文化遺産」の名の下で新たに作り出されて行く新しいアイデンティティの形成を助けるためだったのか、と。「文化遺産学」の二つの最近の潮流は、こうした二重性を乗り越える理論的基礎を作り出そうと試みてきたが、実際には「構成主義的」潮流も「批判的」潮流も、諸「転回」以降の人文学・社会科学の理論に関する諸成果を「文化遺産学」に適用しようと試みる以上のことを成し遂げてはいない。構成主義的アプローチの目的は、「文化的表象や文化的帰属意識を作りだす知識に関わる心的現実の調査[10]」である。「批判的遺産研究」は本質的に、非西欧化された、政治的に正しい「遺産」の捉え方を生み出すことを目的としており、それはかつての白人植民地だった地域（オーストラリア、カナダ、ニュージーランド、部分的にはアメリカ合衆国）で観察できる現代における国民的自己意識の構築と関連している。このアプローチの重要な要素は、かつて抑圧された先住民、あるいはそこへ連れて来られた人々の文化財やその心象を国家レベルの「遺産」という権威ある地位へと昇格させることである[11]。「批判的」という言辞はしたがってこの場合、批判的社会科学の方法論をそれほど意味しておらず、むしろ、我々が何を「遺産」と見なすのか、ということに関する視点を変化させることを意味する。

　「文化遺産学」の登場とともに、数多くのその他の人文学・社会科学諸分野と同様に、歴史学は「文化遺産」と隣接した関係に置かれた。それにとどまらず、ある解釈によれば、歴史学の成果の現在への活用を意味する「応用史」（applied history, Angewandt Geschichte, histoire appliquée）、もしくは、

＊＊＊＊＊＊＊＊＊＊＊＊＊＊＊＊＊

10　Rudolf, 2006, p. 52.
11　批判的遺産研究連盟の宣言は以下でアクセス可能である。
　　https://www.criticalheritagestudies.org/（最終閲覧日 2023 年 1 月 24 日）

いくつかの国での「パブリック・ヒストリー」（公共史）（cultura histórica, Geschichtskultur, Public History）の形態に適合する場合には、歴史学と「文化遺産学」は一体となった[12]。無論、「応用史」と「パブリック・ヒストリー」との間にも鮮明な境界は存在していない[13]。「歴史学の発展を学界の壁を超えた方面に発信する[14]」などの活動もそこに含められる。これらにデイヴィッド・ローウェンサールによって提唱された「学校の歴史」[15]［= 初等・中等教育機関における歴史教育］を付け足せば、ある集約的に拡大した領域が描き出される。その領域においては、以前のレジームでは歴史学と「文化遺産」をかなりはっきりと分離していた境界がすでに薄れてしまっている。歴史学と「文化遺産」という検討中のこの二つの概念が一見して似ていること（両方とも、現在や未来のアイデンティティ形成のために過去を利用する）やそれぞれの周辺分野で重複領域がますます広がっていることを目にしたときに、社会の中の専門家ではない人たち（この中には、「現在主義」の時代[iv]においてこうした二つの概念にますます関心を寄せるようになっている政治家やその他の決定権者も含まれている[16]。）が両概念をしばしば混同し、互換してしまうとしても不思議ではない。この結果として、歴史学と「遺産」という二つの概念を単純に二極化させて対置・比較してしまうと、恐らく、この二つの概念の間に存在する現代的緊張関係や、互いに関連し合ったそれぞれの概念定義において露わとなる不確かさが覆い隠されることになりかねない。

ファジーな境界と歴史の利用という領域

　ロフティ・A・ザデーは、我々の時代を全体的に特徴づける不確かさの理論及びこれと結び付いたファジー論理[17]を作り出したが、それは、その文脈や社会的アクターに左右される形で非常に異なったものとなりうる二つの

＊＊＊＊＊＊＊＊＊＊＊＊＊＊＊＊

12　Ditchfield, 1998, ix; Brett, 1996.
13　Howe-Kemp, 1986; Lowenthal, 1998.
14　Moody, 2015, p. 115.
15　「（…）学校で教えられる歴史は、歴史学というより、むしろ遺産である。」Lowenthal, 1998, p. 125.
16　Hartog, 2006.
17　Zadeh 1983.

専門分野の知識（この論文の検討対象のような）を、互いに比較しつつ定義するという問題を説明するためだった。ザデーによれば、この理論は、「その他のあらゆる理論とは三つの根本的な点で異なる[18]」。

　この論理は、（1）情報とは一般化を可能とする強制力であるという仮説から出発する。（2）二分法的な理論の代わりに、近似や帰属の位相に基づくファジーな論理を用いている。（3）話し言葉と親和性がある。つまり不正確な感情やその表出に焦点を当てている。ファジー論理が最後の点を適用したことで、この理論は、定義されておらず両義性を持った要素から構成されているゆえに、状況依存的な人の感情の分析に適っていることが証明された。こうした曖昧な要素を学術研究に取り入れる価値があるのは、それが実際の生活の複雑さを単純化することなく、その複雑さの理解を助ける概念を発展させるからである[19]。過去の利用の現代的特性というのは、それが状況に左右される性質を有している点ではなく、批判的な歴史理解と神話的な歴史の捉え方との境界が再び薄れていく点にある。そうした境界の希薄化が生じるのは、（歴史学がその黎明期に行ってきたように）過去を閉鎖的で完結した存在と捉えるのではなく、過去を現在・未来との強固な連続性の一部であると見なす物語を保証するために役立つような諸概念（記憶、記念、アイデンティティ、文化的権利、人道に対する罪など[20]）が、「遺産」概念とともに、上述の学問的な重複領域において制度化に向かい始めていることに起因する。歴史研究と「文化遺産学」、あるいはまさに記憶研究[21]との間に激しい対立が生じるかもしれないということが問題なのではない。なぜなら、歴史研究者は何度も学術研究のためにこれらの分野の試みを理解可能にする役目を担ってきたためである。むしろ観察できるのは、歴史学や歴史学による批判的な過去の解釈法が権威としての特質を失った一方で、相異なる諸概念に沿って形成

＊＊＊＊＊＊＊＊＊＊＊＊＊＊＊

18　Zadeh 2006: 16.
19　Mackenthun - Juterczenka 2009: 15.
20　Hartog 2013.
21　ヨーロッパにおける記憶研究組織が2017年に設立され、第一回学術会議には実に鮮明な学際的な関心が伴っていた。http://www.memorystudiesassociation.org/about_the_msa/　（最終閲覧日 2023年1月24日）

された過去についての解釈がお互いに混ざり合っているという状況である。この状況において歴史叙述及び歴史家にとって非常に重要なことは、一方では、曖昧化していくそれぞれの過去解釈の間の互いの関係性を定義する視点を確立し、他方で、発生した状況を歴史的観点から分析するための枠組みとしてふさわしく見える視点を確立することである。「文化遺産」の制度化についてこれまで語られてきたことによれば、歴史学と「遺産学」の二つの領域をお互いからはっきりと区別しうる三要素を少なくとも定義できる。この三つの指標とは、①過去を理解する際の時間の捉え方、②コミュニティの役割への評価、そして③歴史家の個性及び社会の判断に対して「現在主義」的な諸概念の制度化が与える影響力である。

　時間の捉え方という点では、「文化遺産」を特徴づけるのは未来への恐れである。発展の望めない伝統を保護して埋め合わせようとするのはその恐れの一部である。かつては望まれていた革命的変化としての未来は、総じて避けることのできない大破局という評価へと置き換わってしまった。こうしたすべては、予期しうる平均寿命が以前よりも長くなり、その結果個人の過去及び個人的な記憶への価値づけがますますついて回るようになった社会において生じる。こうした社会には、学術的な時期区分や外的な時間によって規定された年表以上に、内的で個人的な時間感覚の方がよく適合している[22]。個人の記憶を基礎とし、その記憶を糧とすれば、時間の中の存在はますます定性的なものとなる。そしてそうすることで、あるイデオロギーが信頼を失ったことによって中断された物語や時間区分[v]からの自立[23]が果たされ、そして同様に、生存のために競い合う短期的な射程しか持たない政治的諸言説[vi]に対する一定の距離感も保証されることになる[24]。四つの「過去の時間化を可能とする方法」のうち、近代の歴史叙述に特徴的な「直線的で、編年体

＊＊＊＊＊＊＊＊＊＊＊＊＊＊＊

22　ケヴェール・ジェルジが適切にも「自らの時間」の評価をまとめている。「強調点は個人史へと移っていく。それがどうであったかではなく、我々が歴史をどう生きたか、へと。」Kövér 2006: 8.
23　Hartog 2010.
24　フランスの政治人類学者マルク・アベレスは生存戦略という文化人類学の概念を現代政治と関連させて導入した。そのもっとも重要な特徴の一つは、機能不全となった（不確かな）時間の捉え方である。Abélès 2006.

で、時代ごとに分かれた区切り」という方法が歴史叙述を上書きしてしまう以前に力を持っていた過去の叙述法（神話、フォークロア、年代記）が信頼の置ける語りの技術として戻ってきたのだ。そして、「言説上の時間が、客観的で「実際の」歴史の時間秩序と混同される」可能性を生み出した[25]。近年取り沙汰されている自然的な大破局の前夜には時間の捉え方の尺度も変化する。人間基準の歴史的時間に取って代わるのは、地球、あるいは銀河を基準とする気候の時間である。この時間感覚はエコロジー思想から生じた「持続可能性」という理論と適合している。「文化遺産」という概念は、「持続可能性」理論の中心的要素の中でも、最終的にその一部と認識されるようになった文化なるものを表現するのに最もふさわしい言葉となっている。なぜなら、この「文化遺産」という概念が、一方では、原則上、「発展した人類・文明VS自然」という二分法に基づくものではもはやなく、この二つの系統の保全されるべき点の統合を基礎としているためである。そのことは「文化遺産」の最も新しい範疇（文化景観、自然及び文化的多様性、統合原則の文化財への拡張など）に実によく表現されている。他方で、「文化遺産」は、観光や創造産業を通じて、そしてより多くの社会的アクターによっても強調されてきた労働力市場を生み出すという役割を介して、持続可能性の視点からも決して無視しえない経済の領域とも緊密な関係にある。

　時間の捉え方という点では、「文化遺産」にとって個人の時間感覚が決定的であるように、コミュニティの捉え方に関しては、参加型の意思決定、地域性、そしてコミュニティに立脚した決定という要素が重要である。この観点から出発すると、歴史学は、客観的なふりをしたエリート主義的な過去の解釈を提供し、長い間、社会的諸集団、諸国民、そして諸文明を差異化する行為主体であったことを理由に、拒絶されるかもしれない。数十年の長期にわたり国民国家やナショナリストのイデオロギーの最大の喧伝役の一部を担ってきた歴史観を、［少数］民族がそのアイデンティティ構築のために選択するのは困難である。ベネディクト・アンダーソンは、アイデンティティ構築と関連した「現在主義」的な生活感覚についての現代で最も印象的な文

＊＊＊＊＊＊＊＊＊＊＊＊＊＊

25　Gyányi 2010: 234.

章の一つを記述したが、そこで彼は、「過去に憑りつかれて、未来に意識を集中させる」古典的ナショナリズムと、「過去に憑りつかれつつも、未来にいかなる鮮明な関心も示さない」現代の民族主義とを区別している[26]。国際的な一体性と地域レベルの意思決定への参加を一挙に体現する文化遺産は、超国家的で多文化的でグローバル化していく潮流にも、そしてまさにこうした潮流のために自らの持続性が危険にさらされていると感じている地域コミュニティの期待にも、歴史学以上にはるかに適合したものである。歴史学の客観的アプローチのために、かつて抑圧的な状況に追いやられていたある個人―あるいは、その後継者―は、「文化遺産」の継承の逃れようもない行為主体[vii]としていまや称えられながら戻ってきた。歴史学の周辺分野にあたる影響力を強めている領域では、そして、［例えば、記念式典における過去の政治利用や、観光を通じた過去の商業化など、］専門領域の外側にありつつ歴史に関わる領域では、［歴史に関する知識が必要とされる場合であっても、］研究者や知識人としての歴史家はますます必要とされなくなっている。デイヴィッド・ブレットによれば、歴史という言葉は、もはや抽象名詞ではなく、自身の帰属意識の表明の役割を果たす動詞である（「我々は歴史する（we history）」[27]。「文化遺産」に関わるプロジェクトに関係者として参加し、持続可能な発展を目指した学際的な分析に専門家として参加しているという理由によって、ある人が歴史家と呼ばれることがますます起こるようになっている。数倍に膨れ上がっている記念式典では、歴史家はますます、そこで祝われる出来事のある種の「回復者」（奇跡を行う魔術師）として出席するようになっている。そこでは、歴史家の話し手としての能力は評価されるが、その批判的な姿勢はいよいよほとんど望まれなくなってきている[28]。

　したがってまとめると、歴史学と「文化遺産」――及びそれと結びついた「現在主義」的な過去解釈――の間に横たわるファジーな境界域では、歴史学で強調される断絶や変化の代わりに歴史的連続性を重視する一つの分野が

＊＊＊＊＊＊＊＊＊＊＊＊＊＊＊

26　Anderson 2011.
27　Brett 1996: 4.
28　Dumoulin 2003.

制度化されている。そこでは歴史家はますます権威でも研究者でもなくなり、むしろ「回復者」や「専門家」となっている[29]。こうした制度化は、ほとんどの西欧諸国では1970、80年代に始まったが、その状況は国内の伝統、社会的変化、そして「遺産」をめぐる国際的な言説の中で［その国の］果たした役割がいかなるものだったかに左右されていた。それぞれの国家における伝統の間には共通の傾向も観察されるものの、制度化の様式やその名称の中に見られる違いを根拠とすれば、「文化遺産」と歴史学、そして「現在主義」的な過去解釈の間に広がる共通理解は、20世紀初頭に関してアストリッド・スウェソンが記述した状況ほど容易には、理論としてはまったく浸透しなかったと結論付けられる。

国際的言説、諸国の応答

「世界遺産」は、―確かに、その反映のレベルは国ごとに互いに大きく異なってはいたものの―第二レジームの終わりまでに地球規模で普及した国際法上および学術上の言説を生み出した。西側社会の民主化やマイノリティのアイデンティティの強化、そして記憶の政治の出現が一層不可避になったことにより、新たな帰属意識を大衆的に下から構築するための概念枠組みが要求された時に、「文化遺産」は過去を利用するための正当で制度化された形式へと変化した。「遺産」の各レジームを紹介した際にすでに言及したように、1960年代末から生じた社会的変化は、人文学・社会科学を、そしてその中に含まれる歴史学をも手つかずのままにはしておかなかった。この頃、人文学・社会科学の現代的刷新を目的とする一連の「認識論的転回」（文化論的転回、言語論的転回、図像論的転回、空間論的転回、行為論的転回、再起的転回、ポストコロニアル転回などの諸「転回」）のすべてが始まった。それらの諸「転回」と関連した方法的議論のうち大部分は、その専門性が原因で学界の内部に閉じたものとなり、その成果は社会の幅広い諸階層には理解し

* * * * * * * * * * * * * * * *

29　ダヴィド・マルティモールによれば、社会は専門家に対して研究者とは異なる期待を寄せる。知識人とは違い、専門家は間違えたりしないし、学術的な方法以外でその成果を検証するものである。Martimort 2015.

がたいものとなった。学会の「メインストリーム」が自らの刷新にこのように没頭していた一方で、歴史学の周辺領域では、頻繁化する過去の社会的な利用を既存の制度や体制に結び付けようとする試みが現れてきた。このプロセスは各国で異なる形で生じたが、どこでも人文学・社会科学諸分野の研究成果からの応用的な転用が観察された。

　アメリカでは、歴史学の成果の社会的利用は、パブリック・ヒストリー（Public History）の名の下に、ロバート・ケリーがその名を冠する講座を初めて創設した 1970 年代半ばに制度化され始めた [30]。1980 年代には『パブリック・ヒストリアン』（*The Public Historian*）という表題の学術雑誌及び全米パブリック・ヒストリー評議会（A National Council on Public History）の設立がこれに続き、アメリカでのこの学問分野の完全な制度化が確定した [31]。ますます盛んになった講座や教育プログラムは何をパブリック・ヒストリーと理解するかを比較的自由に設定した。1986 年の画期的な著作はありうる三つの解釈を定義した。パブリック・ヒストリーが意味しうるものとは、①メディアや広告、支配的な言説の強化に役立つその他の宣伝の領域において、歴史に関する話題に日常的に遭遇するようになること、②それ自体やその目的を標準的な歴史学と意識的に対置させて定義する学問的な運動、③過去の再解釈を通じて、公式の歴史叙述の視界には以前はまったく、あるいはほとんど入ってこなかった社会集団に声や自意識を与える推進力、これらのいずれかである [32]。この三番目の定義からも、パブリック・ヒストリーが 20 世紀後半のアメリカ社会とどれほど結びついたものであるかを感じ取れる。全米パブリック・ヒストリー評議会のホームページに登場する高等教育プログラムの地理分布に基づくと、パブリック・ヒストリーは今日に至るまで基本的にはアメリカ的現象にとどまっているように思える。アメリカ合衆国の外ではすでに 13 か国の大学でパブリック・ヒストリーのような特徴を持った課程が存在しているものの、全部で 245 あるプログラムのうち 86%がそれ

＊＊＊＊＊＊＊＊＊＊＊＊＊＊＊

30　Fischel 1986; Schulz 1999.
31　DeRuyver 2000.
32　Benson - Brier - Rosenzweig 1986.

でもアメリカの大学で確認できる。5つ以上のパブリック・ヒストリープログラムがある国は全体で見てもイギリス（11）とカナダ（7）のみである[33]。パブリック・ヒストリーのアプローチは今日までに「文化遺産」に関する言説から切り離しがたいものとなった。両者は制度的レベルでもお互いにますます適合し合っている。

　イギリスでは、1980年代に広範な議論が始まった。「遺産」として指定される遺跡が雨後の筍のように増加したことや、この時に出来上がった「遺産産業」の拡大もその議論を刺激した[34]。「遺産」が大衆社会に占有されてしまったことで、歴史学の役割や、歴史解釈の信頼性及びそうした解釈の社会的受容に鋭い問いが投げ掛けられた。この10年間に三つの重要な研究書が生み出された。その目的は、一方ではこの新しい社会現象を解釈することであり、他方では歴史叙述をこの新しい潮流の中に位置づけ、「遺産」と歴史学の境界を定めることだった。ロバート・ヘウィソンとパトリック・ライトは「遺産産業」の拡大を、工業化の必要性を強調すると同時にノスタルジックに構築されたヴィクトリア朝の世界へと立ち返るというサッチャー的保守主義の二重性からもっともらしく説明した。その一方で、デイヴィッド・ローウェンサールは今日ではこのテーマの古典となった二つの著作の中で、歴史と「遺産」を区別する諸特徴や、この二つの概念が同時代において共存した結果生じた特有の要素をつかむことに初めて成功した[35]。ローウェンサールは二冊目の本の結びで、たとえ「遺産への信念を歴史研究によって下支えする」としても、「遺産を歴史学の一部と見なす」としても、それらはともに二つの分野の関係を決着させるものではない、という結論に至った。なぜなら、前者は「信念と事実の間の境界をぼやけさせかねない」ためであり、後者は「遺産に由来する権威性を承認することになり、これによって、望まれてもなければ、そうするにも値しないお墨付きを遺産に与えかねない[36]」ためである。ローウェンタールは1998年に「遺産」を「民間信仰」および「自

＊＊＊＊＊＊＊＊＊＊＊＊＊＊＊

33　https://ncph.org/program-guide/　（最終閲覧日 2023年1月24日）
34　Hewison 1987.
35　Lowenthal 1985.
36　Lowenthal 1998: 250.

覚的な教義[37]」と定義した。そうした「遺産信仰者」の「十字軍騎士たちは、歴史学が今もなお目立って健在であることに驚嘆している[38]。」

15年後、フランスの歴史家フランソワ・アルトーグは、過去と我々とのつながりを定義することをめぐって、「文化遺産」をもその中に含んでいる「現在主義」の概念体系が信頼を得たのとは正反対に、歴史学がその信頼を失ってしまった理由を繰り返し述べた。イギリスと同様にフランスでは1980年代が、より正確には1980年に発表された「遺産年」(Année du patrimoine)が、「遺産」が文化業界や文化政策にとって決定的な概念となった時代を象徴していた。一方では1980年代にフランスでもイギリスの「遺産産業」と同じく、「遺産」認定を受けた遺跡の急増が始まった。このことは、文化観光への需要の急激な増加及び過去の記憶の大衆による占有の両面から説明できる。フランス史の歴史叙述においてその10年間を取り巻いていたのは、フランス革命200周年のための準備であり、別言すれば、様々な作業グループによって作成されたナショナル・ヒストリーの叙述だった。中でも最も大きな影響を持ったのは間違いなくピエール・ノラの7巻からなる編著『記憶の場』である[39]。同書は伝統的な歴史家の語り口と決別して「遺産」のロジックを歴史学に持ち込んだものであったが、そうしたのは、ノラが述べているように、「国民概念自体が遺産概念の中へと溶け込んでしまった」[viii]ためである[40]。歴史家は、ノラがこうした決断によって大衆的な解釈の精神を解禁し、歴史学の信用喪失に貢献してしまったとして批判した。他方で、この方法論の国際的な受容（20以上の国や地域に関する「記憶の場」論集がこれまでに刊行されてきた。）が物語っているのは、記憶の場のモデルは歴史と「現在主義」的な過去解釈の接続に適しているかもしれないということである。

「記憶の場」モデルの受容はドイツ語圏で最も集中的に行われた。ドイツ語で様々な地域や国の記憶の場について18巻分の文献が出版された。これ

＊＊＊＊＊＊＊＊＊＊＊＊＊

37　Lowenthal 1998: 1.
38　Lowenthal 1998: 250.
39　Nora (éd) 1984-1992.
40　Hartog 1995: 1232.

らのうちでは、エティエンヌ・フランソワとハーゲン・シュルツェ編集の下、ドイツの記憶の場を考察した 2001 年刊行の 3 巻からなる包括的な作品が突出したものだった[41]。ドイツでは、こうしたフランスモデルの適用と並んで、パブリック・ヒストリーの移植も試みられた（ドイツの二つの大学で、パブリック・ヒストリーの課程がスタートした）。その一方でドイツの歴史学の内部でも 1970 年末から、「歴史文化（Geschichtskultur）」というアプローチの制度化に関わる議論を通じて、［歴史学とその周辺領域の間の］境界の曖昧化が認識されていった[42]。先述の諸国の事例と同様に、西ドイツ社会でも 1970 年代から、同じく当時重要となって行った「想起の文化（Erinnerungskultur）」と緊密に結びついた歴史意識の強化が見て取れるようになった。今日までには、独立した「歴史文化」の講座も登場しているが、その「歴史文化」を研究領域や方法論という点で見ると、パブリック・ヒストリーの諸制度と区別することは難しい。比較という観点から言えば、ドイツ語と英語及びフランス語の言葉の壁で区切られた領域の間での最も重要な違いは、ドイツ語には「遺産」という概念がほぼ完全に欠けているという点である。世界遺産のリストにはドイツの数多くの「遺産」が登場し、また、現在［2019 年時点］の UNESCO 世界遺産センターの所長はドイツの地理学者メヒティルト・レッスラーその人であるにもかかわらず、である。ドイツ語圏の言葉遣いでは、「遺産」という概念は英語やフランス語ほどの決定的な役割を果たしていないのだ。国際的な「遺産」言説を移植しているにも関わらず、ドイツ語で伝統的な「記念碑（Denkmal）」や「郷土（Heimat）」という表現は、その保全という観点からも影響力を失っておらず、これらのドイツ語の概念は、ここまで我々が歴史学と「文化遺産」の間の領域に限って検討してきたファジーな境界領域を、第三者として別の視座から規定してさえいる。それはそれとして、「文化遺産」の範囲の持続的な拡大は、歴史学のみならず、その他の数多くの学問分野それぞれの統一性に抵触することであり、そしてもちろん記念碑の保全や自然保護にも関わることである。イ

* * * * * * * * * * * * * *

41 Francois - Schulze (Hgg.) 2001.
42 Rüsen 1994: 3-26; Mütter - Schönemann - Uffelmann (Hgg.) 2000.

ギリスやフランスに端を発する「遺産」概念の中欧［現代のハンガリー語では、ハンガリーやチェコなども含むドイツ以東、ロシア以西の、いわゆる旧東欧諸国（特に現 EU 加盟国＋旧ユーゴスラビア諸国の範囲）のことを指す］における受容は別に検討を要する。この短い論考でその分析に取り組むことはできない。しかしながら、ハンガリーの伝統とも実に似ている現在のドイツ語圏における状況の推移は、ハンガリーでの経過を理解するのに役立つだろう。

結論

　本稿の冒頭で私は、「文化遺産」と歴史学の定義は時代と地域によって左右されると述べた。それでも、いくつかの全体に関わる問題を把握するのに成功した。「文化遺産」と歴史学を結び付けて考えるにあたり、歴史家の信頼性やその社会的評価は極めて重要な問いとなる。この問いは、諸「転回」による人文系諸学のパラダイムシフトの後にそれらがもたらした視点や方法的変化の中からどれほどのことがこの社会の専門家以外の人々の下に届いたのかという形で、そして、こうした諸「転回」に伴う研究上の変化が現代社会からの期待にどれだけかなったものだったのか、という形で提起されてきた。ここで言う現代とは、（コゼレックの古典的なモデルを用いれば、）「拡張された今」という目線で過去を見ているために、歴史学により明らかになった過去の経験を［未来への］期待へと結びつける能力がなくなった時代のことである。このような状況においては三つの解決方法がありうる。①失望を避けるために期待を捨て、単なる生存を目指す可能性。②脅威となる歴史的経験[ix]が、持続可能性に関わる理論及び実践をますます複雑にする可能性。あるいは、③様々な期待を、関係するコミュニティの影響が及ぶ範囲内で維持しつつ、地域レベルでコントロール可能な様々なアイデンティティ構築に適合するように調整する可能性、である[43]。最初の二つの選択肢は実のところ、現代の歴史学にとって気の向かないことである。というのも、一つ目は明らかに行き止まりである。また、二つ目の可能性は、天然記念物と文化財を理論的にも実践的にも同等のものとして結合させたことによって、そして歴史学が叙述してきた範疇をはるかに超えてその構想の規模を拡大することによって[x]、「文化遺産」が占有してしまった。

三つ目の可能性は、同時になおもオープンな状態にある。非専門家で構成された社会からの歴史学の撤退が、歴史学が自身の周縁部を再占領する代わりに、それを切り離すことを通じて進行したとすれば、それは幸福とは言えないだろう。もし歴史学がかつての周縁的分野をはっきりと必要としなくなれば、その部分は時とともにもはや周縁ではなくなり、社会的に見ればそれ自体が一つの学問分野と見なされる状態へと至るだろう。歴史学と「文化遺産」を分離するファジーな境界線は、「文化遺産」の側からのみ越境できるものでもない。現代史研究にとっては、「文化遺産」は適切で、もっと言えば有益な研究対象である。この研究主題においては、この分野の深い知識のみならず、適切な批判的アプローチを通じて、正確にバランスをとることが要求される。中でも、歴史家が当該コミュニティに特徴的なアイデンティティの構造をつかむ時のように、上述の［現在主義的な］時間の捉え方や［アイデンティティ・ポリティクスに付随する］イデオロギーの内実に関わる指標を通じて、バランスの取れた評価をすることが必要となる。歴史家は、「文化遺産」概念の発展を注視することによって、「現在主義」的な認識とこれに関連した［かつてのイデオロギーが目指していた未来像よりも］もっと慎ましい様々な期待[xi]とを結び付ける際に、現在より大きな役割を果たす存在となりうる。またそうすることで、歴史家は、「持続可能性」という、最も普及しており、最も影響力のある「現在主義」の理論をより繊細に解釈するようにもなれるだろう。この種の「歴史学的規範[xii]の確立や(…)正当性の獲得は、歴史学が発生した黎明期でもそうだったように、今日でもほとんど実現されていないのである[44]。」

　諸国の事例を印象論的に紹介した際に、私はハンガリーにおける「文化遺

＊＊＊＊＊＊＊＊＊＊＊＊＊＊＊＊＊

43　アナール学派第四世代によって広められた「批判的転回」にとって模範となるような、歴史的現在について書かれた研究の中で、ベルナール・ルプティは、ポール・リクールの歴史的時間の構築に関する論考に基づいて、我々の主張と同様に、次の結論に至った。歴史家は、不確定な期待の領域に影響されて過去と現在の関係が寸断されることを許したりはしない、と。その代わりに、我々は期待の領域を消し去らないように仕事をせねばならず、そのために我々は節度を持って正確に計画されたこの［歴史家の］コミュニティに課せられたプロジェクトを立案しなければならない。Lepetit 1995: 297-298.
44　Gyányi 2003: 92.

産」概念の受容に言及しなかった。それが生じたのは第二と第三のレジームの境目にあたる 1990 年代末だった。国家行政のレベルでは、それ以前にはほとんど考慮されていなかったこの概念に関連する省が 1998 年から 2010 年までの 12 年間、そして関連部局が 2001 年から 2016 年までの 15 年間存在した [45]。しかし、こうした省も、100 年以上経過した国内の記念碑保護と関わるかつての「文化遺産保護局」(Kulturális Örökségvédelmi Hivatal)(2001-2002 年)やその後継機関も、近年までにともに停止してしまった。「文化遺産」は国内の政治や行政上の言説の中で急速に用いられるようになったように見える。というのも、根本的に変容した文化政策が、この「遺産」概念に沿って伝統的なシステム[xiii]を取り除くことができたためである。同時に、2010 年までには、「文化遺産」は、それが急速に登場したのと同様に、急速に発展を遂げたものとなっていた。この時期、国家機関や国民アイデンティティ強化のために設立された諸機関が新たな名称(国民資源(nemzeti erőforrás)、財産管理(vagyongazdálkodás)、「フンガリクム(ハンガリー国定遺産)」制度(Hungarikum))を獲得した[xiv]。これらの名称は、[地域ではなく]国家という準拠枠に顕著な役割が割り当てられていたということ、そして従来的な専門の見地からの意義と並んで、経済・政治的視点に高い価値が与えられていたということを物語っている [46]。同時に、過去 20 年間に、「文化遺産」はハンガリー国内の様々なレベルの公的な語りの中に登場した。国家や地域の多くの財団や機関がその言葉を使用したことのみならず、国内の六つの大学でも「文化遺産学講座」が開始された。一方で、「パブリック・ヒストリー」型の[地域・住民参加型の]教育プログラムはいまだ登場して

＊＊＊＊＊＊＊＊＊＊＊＊＊＊＊

45　省庁再編は第一次フィデス政権(1998-2002 年)の成立とともに生じた。[ナショナリスト傾向の保守政党]フィデスの 1998 年の綱領によるとその再編は、「実に有能な文化省とは […] 三つの主要分野、すなわち文化、記念碑保護、そして観光を総括しなければならない」との理由から必要なことだった(124)。その綱領によれば「遺産」とは、社会的な観点から見て様々なレベルの協力を体現するのに適格なものだった。なぜなら、「共通の遺産は、この国の市民、NGO、自治体、そして国家の関与を通じて、調和した共同の活動を要求する」からである(55)。 Ferencz - Perger (szerk.) 1998.

46　中央官庁では、今のところ国立遺産研究所(2013-)のみが遺産の名を冠している。アルトーグの「現在主義」に関わる概念群に基づけば、同機関は中央の記憶や記念に関わる政治を担う機関である。

いない。

　社会によってはっきり語られたか語られなかったかに関わらず、西欧諸国
の事例で観察された歴史学に対する現代的要求に与えられた回答は、した
がってハンガリーでは今のところ、ある種のハンガリー版パブリック・ヒス
トリーの確立というよりは、「遺産」の専門分野としての成立によって感じ
取ることができる。ハンガリーにおける「文化遺産」概念の短い歴史の特徴
の一つは、この概念を受容したその他の諸国と同様、我々ハンガリー人も国
際法の言葉からその概念を受容したということである[47]。他方で、その概念
は、それが普及するまでの間に、ハンガリーの日常的な言葉の中で積み上げ
られ、三つすべてのレジームの諸特徴を帯びるようになった。英仏など、そ
の原語を生み出した国での「遺産」という言葉の用いられ方も考慮しつつ、
ハンガリーの行政的見地に立てば、この国にとっての「遺産」とは、現代の
国家アイデンティティやその過去を解釈するための理論的・実践的に考え抜
かれた基盤であるというよりは、今はまだどちらかといえば成熟の途上にあ
る概念上の手がかりのように見える。ドイツでの受容と比べると、ハンガリー
ではドイツ以上に急速に変化が生じたという点や、その後、記念碑保護とい
う言葉を公的な名称からほとんど排除した点が、最も目立った違いの一つで
ある。西欧の歴史における「遺産」概念の第二レジームを特徴づける民主化は、
その他の中欧諸国と同様、ハンガリーでは 1970 年代から体制転換までの間
にはまったく生じなかったか、実に限定的な形でのみ経験することができた
ものだった。このように、[ハンガリーでの]「文化遺産」概念の受容は、[ア
メリカのパブリック・ヒストリーのような]参加型実践との適合を伴ったも
のとはなりえなかった。本来的には、この概念はそうした実践を想定するも
のだったかもしれないのだが。「文化遺産」が制度化された現代に特徴的な、
連続性を重視する時間の捉え方は、同時に、失われたと信じられてきたよう
な、批判を伴わずに構築されたアイデンティティの復興・発明にも機会を与
えている。「文化遺産」の政治的利用は、社会的アイデンティティの構築が
いつ、どのようにして、どの局面で生じているのかという点に大きく左右さ

＊＊＊＊＊＊＊＊＊＊＊＊＊＊

47　世界遺産条約をハンガリーは 1985 年に、東側ブロックの中では 3 番目に批准した。

れる。紛争を伴う国民構築や国家形成の長い歴史を特徴とする中欧諸国における現在の代表的世界遺産は、大部分が昔ながらの意味での国民構築・国家形成の過程で作り上げられたモデルに従っているが、20世紀のトラウマや楽観主義的な多幸感 xv も明らかにそこに影響を与えている。「文化遺産」概念の受容のあり方は、当該国が社会的記憶の構築のどの段階にあるのかに応じて大きく左右されており、その段階を知るための顕著な指標としてもこの概念は役立つ[48]。当該国やその国民を特徴づける歴史に関わる数多くの尺度（トラウマ、追悼期間の長さ、実行可能性、合意に基づく「大きな物語」の形成など）、そして現実の政治体制側の思惑はともに、過去への追憶や国家と国民にとって意義あるものと見なされた過去の「遺産」化が、病理学的に見てどの程度の段階にあるのか—抑うつ的なのか、はたまた記憶喪失の兆候を伴うのか—、ということを規定する xvi。批判を伴わずに過去を解釈することで、「文化遺産」をめぐる言葉遣いをこのようなことにも利用することが可能なのである。しかし、それを乗り越えてプラグマティックな段階へと至る可能性を与えることもできる。その段階では、遺産化とは、記憶や忘却がなぜ問題となるのかをコミュニティが理解できるようなアイデンティティの構築のために、過去に起因する感情をうやむやにせずその追悼作業を完了することを意味する。この後者の、倫理的かつ政治的な段階においては、過去に固執する記憶崇拝に代わって、例えば復讐願望などの悪習から解放されるといった記憶をめぐる課題と、記憶喪失に伴う混濁を解消するという忘却をめぐる課題とが合わさって一つになる。それはまた、過去への批判的な解釈なくしては構想しえないものである。この段階への到達や、そこに到達すること自体の重要性を描き出すという点でいえば、研究者としての歴史家が必要不可欠である。したがって、ハンガリーの「文化遺産」研究には、「文化遺産」概念を歴史的観点から批判的に解釈し、歴史学の手段を用いつつ「文化遺産」のあやふやな表層の内側を丁寧に探ることができる場が総じて必要である。

＊＊＊＊＊＊＊＊＊＊＊＊＊＊

48　Ricœur 2004: 23-36.

訳註

i ラインハルト・コゼレックの提唱した「歴史的時間」とは、「過去の経験」と「未来に対する期待」のそれぞれによって影響を受けて現在が認識される時間感覚を指す。ションコイ氏の議論においては、その中でも、近代における「歴史的時間」の特徴である、現在が過去と不可逆的に断絶してしまったと捉える時間感覚についての議論が念頭に置かれる。詳しくは、本書解題を参照。

ii この「レジーム」概念は、それを先駆的に使用したアルトーグの訳書（フランソワ・アルトーグ（伊藤綾訳・解説）『「歴史」の体制：現在主義と時間経験』藤原書店、2008年。）では「体制」と訳された。詳しくは本書解題を参照。

iii 著者による補足説明：ロマンス語系のスペイン語やイタリア語やポルトガル語では、1970年代まで「文化財」という言葉が一般的に用いられていましたが、それらの言葉が指していたのは主に有形の記念碑と人工的な遺物でした。スペイン語で「遺産」を意味する patrimonio は、「世界遺産」概念の登場まで、今日的意味としては使われていませんでした。今日では、顕著な意味上の違いはありません。ただ、イタリア語ではまだ「文化財（beni culturali）」という言葉が好んで使われてもいます。

iv フランスの歴史家フランソワ・アルトーグが提唱した「現在主義」とは、過去の経験や未来への期待が時間を認識する準拠枠として失効した時代において顕著となる、すべての歴史的過去を現在に収斂させる態度が支配的な時間認識の様式のことである。詳しくは本書「解題：現在主義、レジーム、『遺産』―ションコイ・ガーボルの『文化遺産』論をより深く理解するために―」を参照。

v 著者による補足説明：ここで想定されてるイデオロギーや歴史観は19世紀的な自由主義、社会主義、共産主義、保守主義など、究極の目標としての未来を決定論的に措定し、その到達過程として歴史をとらえる見方のことです。

vi 著者による補足説明：環境問題解決のための計画に関しては別かもしれませんが、現在の政治的言説は長期的な目標を掲げません。しかも、こうしたより短期的なプランでさえ、常に修正されてしまい、維持されることも達成されることも滅多にありませんでした。この短期的思考は、連続性や過去における起源を必要とするアイデンティティ構築には向いていません。

vii 著者による補足説明：ここで想定している、現在「遺産」を作り出している人々は、例えば、少数民族、性的少数者、移民、アメリカ先住民たちなどです。こうした人々は、「遺産」を共有する自らのコミュニティを通じて自己を表現します。

viii 著者による補足説明：ここで言わんとしているのは、19世紀的なアイデンティティの主たる参照点であった「国家・国民（ネイション）」という準拠枠が、現代においては、その枠組みとは異なる「遺産」的な過去認識に基づく諸アイデンティティの中に、[複数のアイデンティティの一部として]溶け込んだということです。この「遺産」と結びついたアイデンティティはより大衆参加型で、より多様なものです。

ix 著者による補足説明：「脅威となる歴史的経験」とは、気候変動、過剰人口、無制限のグローバル化・商業化などといった、人類が直面し、その解決策（持続可能性）を必死に模索している最中であるところの、将来を左右しうる根本的な脅威を指しています。

x 著者による補足説明：「遺産学」の範疇には、持続可能性研究の一種として、地質学や遺伝学なども含まれています。つまり、「遺産」とは、人間の文明の歴史だけではなく、「自然の歴史」をも含む概念なのです。したがって、その対象規模は伝統的な歴史学のそれよりもはるかに大きいのです。そして人間の歴史は地球の歴史のほんの一局面にすぎないという「ポストヒューマン」的なアプローチを備えています。

xi 著者による補足説明：19世紀以降、未来とは、発展への信頼に基づく明るく、素晴らしく、立派な構築物（共産主義、社会主義、自由主義、ナショナリズムなど）でした。

しかし、1970年代以降、これらの素晴らしき未来への期待は終わります。未来を示してきたイデオロギーが信用や信頼を失ったからです。それに代わって「持続可能性」や人類の最終的な破局の回避といった、未来に対するより慎ましい期待が場を占めるようになっていきました。

xii 著者による補足説明：ここで問題となっている規範とは、トップダウン型のイデオロギーやナショナリズムに関わる要素だけではなく、国民や国家、社会の中にある多様性、つまり多様な民族的・宗教的、その他の集団的要素を含みこんだ歴史学の規範のことです。「遺産」に基づくアイデンティティの構築はそのような規範の確立を助けることができます。

xiii 著者による補足説明：ハンガリーでは1880年代から正式な記念碑保護制度が存在しました。これは帝国主義的な野心を持つ19世紀のどのヨーロッパ諸国にとっても必要なものだったのです。その制度は当時最も先進的だったオーストリアの例に倣って成立し、2010年代まで続きました。ドイツ語でDenkmalschutzとして知られる伝統的な記念碑保護活動は、国際基準及びハンガリーの法律に基づく記念碑保護や記念建造物改修に対する批判的なアプローチを有していました。主に、建築家、考古学者、美術史家などの訓練を受けた専門家がおり、この人々が国立の機関、および地域の事務所で活動していました。彼らは［記念碑の真正性を損ないかねない方針の］投資や建築をやめさせる法的資格を持っていましたが、その活動は記念碑や遺跡、自然公園に関する法的枠組みや原則と対立することもありました。

xiv 著者による補足説明：フンガリクムは専門家によってではなく、政治家によって選定されます。また、フンガリクム認定を受けた文化財は今のところ、自己顕示という政治的目的を象徴しています。フンガリクムに認定される対象は記念建造物から化粧品、有名なスポーツ選手まで、かなり混合的です。批判的な記念碑保護という伝統として存続してきた手法の基盤を失墜させ、解体するために利用されることもあります。現在、記念碑や遺跡保護に関わる部局は首相府の管轄下にあり、その知的、法的な独立性も失ってしまいました。

xv 著者による補足説明：現在の中欧諸国の国家アイデンティティに影響を与えている20世紀の「トラウマ」としては、第一次世界大戦とその後の帝国解体、第二次世界大戦、戦後のソ連陣営への編入、一党独裁体制、その体制下での様々な抑圧などがあるでしょう。一方で、「楽観主義的な多幸感」という点で言えば、帝国の支配民族を除く多くの民族にとっては、第一次世界大戦後に確定された新たな国境や国民国家は、楽観的になるに足る要素の一つでした。また、1989年の「体制転換」はこの地域全体にとっての楽観的な出来事でした。

xvi 著者による補足説明：ハンガリーにおける「記憶喪失」の兆候を伴う遺産化の事例をさしあたり2つ指摘しておきます。ブダ王宮を再建築する「ナショナル・ハウスマン・プログラム」は顕著な例の一つです。この計画は、ブダ王宮を19・20世紀転換期の姿に再建することだけではなく、記念碑保護の原則に則って行われていた社会主義時代の改築や改修の結果を無に帰すことを目的としています。この計画は記念碑保護の専門家にも、建築家にも、地域の自治体（ブダペシュト1区及びブダペシュト市政）にも相談なく実行されており、そのような正当な裏付けのない改修によって、ブダペシュトが世界遺産リストから外されるかもしれないという危険をもたらしました。もう一つの事例は2021年に行われたハンガリー1956年革命［、いわゆるハンガリー動乱］の65周年記念式典です。それは徐々に倫理的・政治的な記憶のレベルに達し［、トラウマが克服され］つつある1956年革命の記憶そのものに焦点を当てたものではなく、1956年革命の記憶を、病的なレベル［＝トラウマ］へと押し戻すために2006年の1956年革命記念日に実行されたデモと暴動の記念に焦点を当てていました。

訳者補足：2つ目の事例は、2006年10月23日の1956年革命50周年記念日とその

前後にブダペシュトで発生した暴動事件のことを指す。左派政党ハンガ
リー社会党を中心とする当時の政権と敵対的な立場にあった極右団体関
係者らが市内各地でデモを実施し、それがテレビ局襲撃などの暴力行為
に発展した。2021年の65周年式典を主導した現与党フィデスは、2006
年当時、1956年革命においてハンガリーの市民を武力制圧したハンガリ
ー勤労者党の行動を念頭に置きながら、その後継政党でもあるハンガリ
ー社会党が「50年前と同じやり方を用いて」デモ参加者である市民（＝
暴徒）を警官隊に攻撃させたとの非難を行っており、2021年の式典でも、
2006年暴動発生の責任は当時の社会党政権にあるという立場から同事件
への回顧がなされた。

参考文献

Abélès, Marc 2006: *Politique de la survie*. Flammarion, Paris.

Anderson, Benedict 2011: Comparatively Speaking: On Area Studies, Theory, and 'Gentlemanly' Polemics. *Philippine Studies* (59.) 1. 136-137.

Bendix, Regina 1997: *In search of authenticity*. University of Wisconsin Press, Madison.

Bendix, Regina F.-Eggert, Aditya-Peselmann, Arnika (eds.) 2012: Heritage *Regimes and the State*. Universitätsverlag Göttingen, Göttingen.

Benson, Susan Porter - Brier, Stephen - Rosenzweig, Roy 1986: Introduction. In: Benson, Susan Porter - Brier, Stephen - Rosenzweig, Roy (eds.): *Presenting the Past: Essays on History and the Public*. Temple University Press, Philadelphia, xv-xxii.

Brett David 1996: *The Construction of Heritage*. Cork University Press, Cork.

Chastel, André 1997: La notion de patrimoine. In: Nora Pierre (éd.): *Le lieux de mémorie*. Vol. 1. Quarto Gallimard, Paris, 1433-1470.

DeRuyver, Debra 2000: *The History of Public History*. http://www.publichistory. org/what_is/history_of.html （2023年1月現在リンク切れ）

Ditchfield, Simon 1998: Foreword. In: Arnold, John - Davies, Kate - Ditchfiekd, Simon (eds.): *History and Heritage: Consuming the Past in Contemporary Culture*. Donhead, Shaftesbury, ix.

Dumoulin, Olivier 2003: *Le rôle social de l'historien. De la chaire au prétoire*. Albin Michel, Paris, 327-343.

Ferencz I. Szabolcs - Perger Éva (eds.) 1998: *Szabadság es jólét. A polgári jövő programja*. Fidesz-MPP, Budapest.

Fishel, Leslie H. 1986: Public History and The Academy. In: Howe, Barbara J. -Kemp, Emory L. (eds.): *Public History: An Introduction*. Robert E. Krieger, Malabar, 8-19.

François, Étienne - Schulze, Hagen (Hgg.) 2001: *Deutsche Erinnerungsorte*. I-III.

Beck, München.

Gyáni Gábor 2003: *Posztmodern kánon*. Nemzeti Tankönyvkiadó, Budapest.

Gyáni Gábor 2010: *elveszíthető múlt*. Nyitott Könyvműhely, Budapest.

Hartog, François - Revel Jaques (eds.) 2006: *A múlt politikai felhasználasai*. L' Harmattan, Budapest.

Hartog, François 1995: Temps et Histoire. Comment écrire l' histoire de France? *Annales. Histoire, Sciences Sociales* (50.) 6. 1219-1236.

Hartog, François 2006: *A történetiség rendjei. Prezentizmus es időtapasztalat*. L' Harmattan, Budapest.

Hartog, François 2010: La temporalisation du temps: une longue marche. In: André, Jaques - Dreyfus-Asséo, Sylvie - Hartog, François (éd.): *Les recits du temps*. Presses Universitaires de France, Paris, 13-17.

Hartog, François 2013: *Croire en l' histoire*. Flammarion, Paris.

Hewison, Robert 1987: *The Heritage Industry: Britain in Age of Decline*. Methuen, London.

Howe, Barbara J. - Kemp, Emory L. 1986: Introduction. In: Howe, Barbara J. - Kemp, Emory L. (eds.): Public History: An Introduction. Robert E. Krieger, Malabar, 7-19.

Koselleck, Reinhardt 2003: *Elmúlt jövő. A történeti idő szemantikaja*. Atlantisz Kiadó. Budapest.

Kövér György 2006: Előszó. In Mayer Laszlo - Tilcsik Gyorgy (eds.): *Személyes idő - történelmi idő*. (Rendi társdalom - polgári társadalom 17.) Hajnal István Kör Társadalomtörténeti Egyesület - Vas Megyei Levéltár, Szombathely, 7-9.

Lepetit, Bernard 1995: Le présent de l' histoire. In: Lepetit, Bernard (éd.): *Les forms de l' expérience. Une autre histoire sociale*. Albin Michel, Paris, 273-298.

Lowenthal, David 1998: *The Past Is a Foreign Country*. Cambridge University Press, Cambridge.

Mackenthun, Gesa - Juterczenka, Sunne 2009: *The Fuzzy Logic of Encounter. New Perspective on Cultural Contract*. Waxmann Verlag, Münster.

Martimort, David 2015: La société de experts. Une perspective critique. In: Haag, Pascale - Lemieux, Cyril (éd.): *Faire des sciences sociales. Critiquer*. Édition de l' École des hautes études en sciences sociales, Paris, 209-235.

Moody, Jessica 2015: Heritage and History. In: Waterton, Emma - Watson, Steve (eds.): *The Palgrave Handbook of Contemporary Heritage Research*. Palgrave Macmillan, New York, 113-129.

Mütter, Bernd - Schönemann, Bernd - Uffelmann, Uwe (Hgg.) 2000: *Geschichtskultuer. Theorie - Empirie - Pragmatik*. Studien Verlag, Weinheim.

Nora, Pierre (éd.) 1984-1992: *Les lieux de mémoire*. I-III. Gallimard, Paris.

Ricœur, Paul 2004: Az emlékezet sebezhetősege. In: Erdősi Péter - Sonkoly

Gábor (szerk.): *A kulturális örökség*. L' Harmattan, Budapest, 23-36.

Rudolff, Britta 2006: ' Intangible' and ' tangible' heritage. *A topology of culture in context of faith*, PhD thesis the Institute of Cultural Geography. Johannes Gutenberg-Universität, Mainz.

Rüsen, Jörn 1994: Was ist Geschichtskultur? Überlegungen zu einer neuen Art, über Geschichte nachzudenken. In: Rüsen, Jörn - Grütter, Theodor - Füßmann, Klaus (Hgg.) 1994: *Historische Faszination. Geschichtskultur heute*. Böhlau, Köln, 3-26.

Schulz, Constanze B. 1999: Becoming a Public Historian. In: Gardner, James B. - LaPaglia, Peter S. (eds): *Public History: Essays from the Field*. Krieger Publishing, Malabar, 23-40.

Sonkoly Gábor 2016: *Bolyhos tájaink: A kulturális örökség történeti értelmezései*. Eötvös Kiadó, Budapest.

Sonkoly Gábor 2017: *Historical Urban Landscape*. Palgrave Macmillan, New York.

Sweet, Rosemary 2016: The Preservation of the Crosby Hall, c. 1830-1850. The *Historical Journal*. (59.) 2. 1-33.

Swenson, Astrid 2013: *The Rise of Heritage. Preserving the Past in France, Germany and England, 1789-1914*. Cambridge University Press, Cambridge.

Thompson Andrew 2014: *'History and Heritage: A Troubled Rapport Care for the Future: Thinking Forward through the Past'*. http://careforthefuture. exeter.ac.uk/2014/02/history-and-heritage-a-troubled-rapport/(最終閲覧日 2023 年 1 月 24 日)

Willer, Stephan - Weigel, Sigrid - Jussen, Bernhard (Hgg.) 2013: *Erbe. Übertragungskonzepte zwischen Natur und Kultur*. Suhrkamp, Berlin.

Wright, Patrick 1985: *On Living in an Old Country*. Verso, London.

Zedeh Lotfi A. 1983: Commonsense Knowledge Representation Based on Fuzzy Logic. *Computer* (16.) 10. 61-65.

Zedeh Lotfi A. 2006: Generalized theory of uncertainty (GTU) -- principal concepts and ideas, *Computational Statistics & Data Analysis* (51.) 1. 16-46.

EU・日本の歴史と文化遺産に関する座談会
1.文化遺産概念を中心に

日時：2021年10月20日18時～ 19時30分（日本時間）オンライン開催
参加者（敬称略）：

ションコイ・ガーボル（エトヴェシュ・ロラーンド大学〈ハンガリー〉）、
奥村弘（神戸大学大学院人文学研究科）、市原晋平（同）、根本峻瑠（同）、
加藤明恵（同）、内田俊秀（京都造形芸術大学）

※通訳は根本峻瑠、司会は市原晋平が担当した。

　本座談会は、本書に収録されている欧州委員会報告書「文化遺産研究の革新に向けて」の訳出の過程で、同報告書への理解を深めるためにションコイ・ガーボル教授と翻訳者らとの間で開催されたオンライン座談会の模様である。この時およびその前後にメールを通じて行われた質問への回答は、「文化遺産研究の革新に向けて」の訳注などに反映されている。

自己紹介と趣旨説明

ションコイ　皆様にお会いできて大変うれしく存じます。残念ながら私は日本語は話せませんので、皆さんが私と主に英語でやり取りしていただけることをうれしく思います。

　お時間をいただけたことにも感謝いたします。皆さんお忙しいかと存じますが、私が考えるには、このテーマは非常に重要であり、我々には歴史と遺産の分野での協力関係をさらに発展させることができるはずです。

　私は歴史家です。18-19世紀に関する都市史から研究を始めました。そして現在、私は約200年に及ぶ文化遺産の概念史を研究しています。遺産という非常に複雑な概念が、どのようにしてヨーロッパで始まり、世界的なものになったのか、この2世紀の展開の中でどのように修正されていったのか、といったことに関心があります。我々が今日取り組んでいる遺産というもの、それは非常に帝国主義的な理解のされ方をしていますが、しかし、以前はそ

うしたものではありませんでした。これは実に歴史学的なトピックです。日本でもいくらかの興味深い変化をみることができるでしょう。また、これは都市史にも通じるところがあるため、この分野でも皆さんと一緒に仕事ができることをとても嬉しく思っています。

市原 自己紹介をいただきありがとうございました。本日は私が司会を務めます。

　それでは、『文化遺産研究の革新に向けて』の翻訳について話し合いたいと思います。このトピックについては、奥村先生と根本さんにお任せしたいと思います。

奥村 それでは、本日の会合の趣旨をご説明いたします。

　この研究会のテーマは「地域歴史資料研究から地域歴史文化へ。自然災害国のレジリエントな地域社会のための新たな研究領域の創出」です。その趣旨は以下のことにあります。

　本プロジェクトは、国内外の3つの研究領域から構成されています。（1）地域歴史資料の未来への継承に関する研究、（2）地域歴史資料を継承するためのデジタルデータ基盤の構築に関する研究、（3）災害に強い文化を含む新しい日本の地域歴史の構築に関する研究。これら3つの異なる領域は、プロジェクトの最終段階で統合されます。プロジェクトの全過程において、地域社会の人々のニーズや意見が優先されます。

　こうしたプロジェクトの一環で、ションコイさんの報告書を根本さんにお願いして翻訳させていただいております。

　そして市原さんには、ションコイさんがそれにかかわって書かれたハンガリー語の論文の翻訳をしていただきました。ションコイ先生の論文は難しく、いろいろと考えさせられました。

　「文化遺産研究の革新に向けて」の翻訳に関していろいろ質問をし、それに回答をいただいたのですが、さらに追加でいくつか質問があります。

　時間も限られていますので、すべての質問にお答えいただくことは難しいかもしれませんが、議論の形式として、質問を行い、それにお答えいただく

という形で話を進めたいと思います。

　日本にいる人間は、ヨーロッパの事情に十分に通じていませんので、なるべく具体的な事例を挙げつつお答えをいただけますと助かります。

稼ぐ遺産・稼ぐ大学 ―「創造産業」の考え方―

奥村　最初の質問です。Creative Economyについてです。これは個人の「能力」に焦点を当てた概念でしょうか。日本の歴史遺産をめぐっては、文化遺産の保存と活用について対立的な議論がおこなわれている現状があります。観光を博物館学芸員が妨げているという意見を述べた国会議員がいます。観光を中心とした経済的「活用」という意味とは異なる考え方でしょうか。

ションコイ　私の理解したところでは、創造産業（creative industory）のこと、そしてヨーロッパにおける「遺産」の役割について、ということですね。

　「遺産」とは「あらゆるもの」です。実際のところ人文社会科学で我々が扱っているものは何でもそこに含まれます。そして、奥村先生がおっしゃったような、議会で政治家が遺産について語ったことはとても典型的なものです。

　遺産は歴史のライバル（競争相手）です。歴史とは歴史家の領分（matter of historians）です。しかし、遺産はみんなの関わるものです。政治家も、地域のコミュニティも関わります。この［歴史対遺産の］論争は、だれが過去についての権威か、だれが資格を持つのか、ということに関わるものです。過去について誰の意見に頼るべきなのか、という問題です。これが一つ目の［遺産についての］答えです。

　もう一つ、創造産業についてお答えします。これが現在大学を再定義しています。大学は直接的に産業に結び付いています。それがヨーロッパとアメリカのケースです。国家は大学への資金提供から撤退しています。そして、国家は大学に自身で稼ぐことを求めています。医学、薬学、工学技術部門では、そうすることは容易です。人文系では、それはもっと困難なことです。

　つまり、大学がお金を稼ぐということが「創造産業」です。

　［以前奥村先生からいただいた］ご質問の中で、日本語にはイノベーションにあたる言葉がない、とおっしゃっていましたが、イノベーションとは、

この文脈では、大学がいかにして金を稼ぐか、ということです。いい言葉遣いです。日本語でそれにあたる表現があるかわかりませんが、なんともユーフォミズム（多幸症的）な言葉です。しかし実際には、金を稼げ、ということを意味しています。

　例えば、加藤先生は酒造の研究をされているとのことですが、これは創造産業になりえます。例えば、神戸の酒造メーカーが伝統的な製法で酒を造ろうとしたとしましょう。そこで加藤先生が、16世紀の酒の製法について助言したとします。もし加藤先生がそれに関する研究や助言によって金銭的対価を獲得し、また、その酒造メーカーが「遺産のような」［過去から復活させた］酒を製造したとしたら、そうした活動はすでに創造産業だといえます。

奥村　わかりました。

ションコイ　ひどい話ですがそういうことです。しかし、それはあり得ることです。残念なことに、私たちは快適な場所から出ていかねばなりません。我々はそうするように強いられています。そして、私たちが去っていく快適な場所とは、我々が教え学び研究してきた文書館や図書館や講義室のようなところを指します。今や我々は企業経営者ともやり合わないといけません。これはイギリスで1980年代にはじまりました。遺産ビジネスと呼ばれていました。

　サッチャー首相の時代のことでした。彼女は極めて保守的で、経済的には新自由主義的でした。当時の英国社会は過去に大変強い関心を向けました。特に好まれたのは、英国にとって栄光の黄金時代である19世紀ヴィクトリア時代です。

　しかし同時に、サッチャーは大学から資金を引き揚げ、大学や博物館のための資金を獲得することをしなくなりました。その結果、大学や博物館は会社や企業のような活動をし始めました。ミュージアムショップを経営し、歴史に関する小物を作成し、歴史語り、文化ツーリズムなど、彼らはどうにかして生き延びねばなりませんでした。そして生き延びることが出来ました。社会が過去に強い関心を持っていたからです。

それにしても、これは今やグローバルな現象です。少なくとも、ヨーロッパではどの国も、そこに住む人々も、過去に熱狂しています。

　つまり、我々歴史家は過去を売っているのです。これが「創造産業」です。古い酒を新しいボトルに入れることであり、また、例えば新しい衣服を作る時に、着物のような伝統的な衣装に似せて、ファッションデザイナーに再創造させることでもあります。あるいは伝統的な食べ物もそれにあたります。過去に関わるものであれば何でもいいのです。

　イタリアに非常に刺激的な事例があります。イタリアの人々はアメリカ的生活様式を避けるために過去を利用しました。

　アメリカではすべてが即席（ファスト）です。ファスト・フード、ファスト・ファッション、ファスト・ファニチャー（使い捨ての家具）。一方でイタリアでは、すべてがスロウだと言っていました。スロウ・フード、スロウ・ファッション。ここでスロウの意味するものは歴史的・伝統的だということです。社会は落ち着き、スロウダウンすることを求めているのです。歴史家はそうしたスロウダウンを助けることができるでしょう。これが歴史家の長所であり役割です。そうすることで、バーを作り、人々がゆったりと食事できるようになるのです。

　神戸には、伝統的な日本食レストランがありますね。そしてそこで人々が時間を過ごすとき、それが無形遺産になります。ゆっくり食べて、それがおいしければ、それこそが無形遺産です。

　これでご理解いただけたかはわかりませんが、以上がお答えです。

社会への働きかけをめぐる「遺産」と歴史学の関係

奥村　実は先ほどお答えいただいた中に、次に質問しようとしていたことも含まれていました。イノベーションのことです。日本でも、今までと同じような形で人文学の研究ができなくなっています。

　大学でも、政府からの要請で応用的・実用的な研究を求められるようになっています。もちろん実用的な研究は大切です。しかしながら日本では、基礎研究がそれによって軽視されるという傾向が強まりました。とくに人文科学については、歴史学も含め2010年代に、研究者のポストが縮小されるという

事態になっています。歴史遺産についても、先ほど述べたように観光等の経済活動に貢献することが求められています。観光等に直接に結びつかない歴史遺産については、むしろ軽視される状況が生じています。

私たちの現在の科研で実践的に取り組んでいることもそうですが、この社会において、文化遺産・地域遺産の多様な「活用」が積極的に行われていくことは極めて重要であると考えています。

こうした観点から見たときに、EUではイノベーションや実用性重視ではない、遺産の活用の在り方についての異なる軸や考え方は存在しているのでしょうか。存在していないのでしょうか。

ションコイ　現在、ヨーロッパでも似たような状況です。人文学や歴史のポストやその教授職に就く人はどんどん少なくなっています。

これは矛盾した状況です。なぜなら社会は以前よりますます過去に関心を寄せるようになっているからです。それなのに、なぜ歴史家の数が少なくなっていくのでしょうか。恐らく、私たちは態度を改めねばならないのです。私たちは、社会がなぜ歴史家に過去を語ってほしいと望まないのか、その理由を理解せねばなりません。その理由こそが「遺産」なのです。

「遺産」とは、過去に対する通俗的な解釈（popular interpretation）のことです。過去15年間に、ヨーロッパのどの大学でも、遺産学科というものが登場してきました。あるいは、市原先生が翻訳された『Korall』掲載の論文で私が書いたように、これは通俗的な過去ですが、それを社会へと働きかける方法には多くのものがあるのです。

奥村先生がこの会合の始めにお示ししたプロジェクトの3つのポイントは、とても良い典型例です。

①地域アイデンティティへの関与

第一点目は、私が理解したところでは、地域的（local and regional）アイデンティに関するものでしたね。日本ではどうだったかはわかりませんが、ヨーロッパでは、歴史というのは、国家の歴史と地域の歴史から研究が始まりました。国家の歴史は、もちろん確かにヨーロッパにおいて大事でした。[国史が体系化され始めた19-20世紀には] 新しい国々が存在したからです。そ

の時、古い過去が再解釈され、語り直される必要がありました。

　また、地域史も当時存在していました。それは歴史家によって書かれたものではなく、その地域の村や都市出身の教師などが書いたものです。その内容もしばしば大変退屈なもので、誰も読まないものでしたが。

　つまり、過去に関心のある人々は我々歴史家の作品は読みません。だから私たち歴史家はこの人々に地域的なアイデンティティを与える方法を探す必要があります。つまり、通俗的な歴史、または文化遺産は、地域的なコミュニティに対して過去の解釈を与えているのです。

　これはときには、「共創」（co-creation）と呼ばれます。つまり、生徒に歴史を教えるだけではなくて、地域の人々を教室に連れてきたり、その人々のところに行き、ともに歴史を語り合うことです。

　これはアメリカやカナダでマイノリティに対してとても有効に機能しています。アメリカ先住民やアフリカ系アメリカ人、その他のまさに今アイデンティティを作り出している人々は今こそ、自分たちのアイデンティティを必要としているのです。しかし、以前は歴史の中で声を持たなかった人々のグループ―地域の人々や特定の地方のアイデンティティなど―は［アメリカやカナダに限らず］すべての国に潜在的に存在しているのではないかと私は考えています。よくは知りませんが、日本には恐らく複数の地方アイデンティティがあるのではないでしょうか。複数の島からできていますから。

　ともかく、私が言いたいのは、歴史家がそうした地域史の書き換え・更新に関与すべきだ、ということです。

②デジタルデータの活用

　二番目の大きなトピックはデジタルデータでしたね。私もちょうど、ヨーロッパの新しいプロジェクトに専門家として参加しています。ヨーロッパでは、大規模なデジタルデータベースが構築されています。ご存知かどうか知りませんが、Europeanaなどです。どこであれ、ヨーロッパの博物館は自分たちの収蔵品についての情報をこのデジタルプラットフォームにアップロードすることができます。何百万ものデータです。

　何ともめちゃくちゃです（it's a perfect disaster）。なぜか？これらは研究のことを考えて設計されていないからです。歴史家はこれを使いません。

なぜならこれは体系化されていないランダムなデータベースだからです。技術的に言えば、文脈を分析することができません。ただPDFファイルとして閲覧できるだけです。そして一般人もこれを使いません。情報が大量にありすぎるし退屈だからです。それでもこれに何百万ユーロも費やされてきました。

　日本でもこのようなひどい状況が生じているかはわかりませんが、ヨーロッパではこの手のひどい状況が多く生じています。そして今、デジタル化された遺産のクラウドを構築しようというプロジェクトがあります。それには3つのアクターを引き入れることになります。

　1つ目は博物館、データ・アーカイブを保有する機関です。そして、2つ目に技術を持つ産業界です。彼らはいかにデジタル化が急速に変化をもたらしているかを語ります。5年から10年先に、世界がどう変わっているのか、考えてみる必要があるし、最も革新的で最新の技術を選択する必要があるからです。そして3つ目に研究者たちです。歴史家やこうしたデータを活用するほかの研究者たちと、どのデータを［データベースに］組み込むことが有用か、話し合う必要があります。

　そうなる前、10年から15年ほど前には、このプロジェクトの参加者は博物館と産業界だけでした。先ほど申し上げた3つのアクターをいかに組み合わせるか、ということが大きな課題となっています。なぜなら、素晴らしいデータベースを作り上げた人がだれであれ、権力を持つことになるからです。過去という力です。なぜなら一般の人々は巨大な収蔵品を有する文書館にも博物館にも行かないからです。

　つまり、もしあなたがこうした収蔵品を利用することを望み、インターネット上にアップロードし、そしてそれを利用する方法を知っていたとしたら、大きな問題となるのは、いかにして歴史的データや有形物、つまりモノや文書、図像やイメージなどのデータベースを構築するのか、ということになります。

　このプロジェクトのための助成金が、2年以内に始まります。EUが設立した助成金です。そして、私はその助成金のための準備をしています。簡単なことではありませんが。

内田　そのプロジェクトの名は何ですか。

ションコイ　まだ名前はありません。ヨーロッパでは、長期的予算として7年の期間が設定されています。そして今年その予算期間が始まりました。2021年から2027年です。それらの7年の期間にあらゆるプログラムが紐づいて作動します。

　これらの中に遺産も含まれます。遺産はどこにでもあります。この助成金の中に文化遺産、文化遺産のデジタル化や博物館のリニューアルに関する活動計画が含まれています。これがテーマです。しかし、これは特別な助成金ですので、7年間のうち、2年ごとの小期間に区切られています。

　どのような正式名称や位置づけになるかはわかりませんが、私は今その助成金のための準備をしています。

　このプロジェクト全体の名称はホライズン・ヨーロッパといいます。これはオープンアクセスです。また、この助成金はヨーロッパ財政における遺産の位置付けを示しているため、価値があります。

　活動計画の本文をお送りします。そこに助成金のことが書かれています。1ページですので、簡単に読めるでしょう。あなたがされていることと同様の問題について考えるものです。一つのプロジェクトに100 〜 300万ユーロ、時には500万ユーロの助成金さえ受け取れます。

内田　アメリカのゲッティ財団が行っている膨大な博物館資料のデジタル化について、どのようにお考えでしょうか。

ションコイ　私は出版のためだけにそのデータを使います。研究のためには使いません。皆さんはもしかしたらその図像を図像学的な分析のためなどに使うかもしれませんが、私は必要だとしても、それを収集しようとは考えていません。なぜなら、重要なのは文脈に即した総合的な分析だからです。

　手をかざした写真を見たとします。これはヨーロッパでは、祝福を意味します。インドでは、止まれの意味です。日本では図像学的にこれが何を示すかはわかりませんし、どのような意味を持っているかもわかりません。

もしあなたがコレクションを所有しており、その中からこのような手の写った図像を選択し、分類するとします。あなたがその意味を知っている場合にシステム（分類方式）を持っていないのであれば、これが役立つのだ、という考え方もあるでしょう。しかし、とても役立つデータベースというわけでもありません。分析には不向きです。総合的な分析がしたいかどうかで、その評価は変わります。

それに、ゲッティの閲覧にはお金がかかるはずです。これがアメリカ流です。ヨーロッパでは、どこでもデータベースにはオープンアクセスできるようにしようという考え方です。これがアメリカとヨーロッパとの重要な違いです。

もうひとつ別のこととしては、ヨーロッパでは、すべての博物館を統合すべきだということです。もちろん徐々にではありますが。それは一日のうちには起こらないことです。

「伝統的」なイギリス地方部の人々によるブレグジット支持

内田　もう一つ質問をします。サッチャー時代にヴィクトリア時代の歴史に興味を持ったイギリスが、EUから離脱したのは、EUの歴史の扱い方に対して嫌になったからなのでしょうか？

ションコイ　多くの人にとって、そうは言えないと思います。面白いトピックですが。

多くの人にとって、ブレグジットはイギリスの国家形成／国民形成（nation building）に関わる問題でした。というのも、19世紀のブリテン［イングランドを核とする連合体］は、帝国として建設されました。その帝国は、スコットランドやアイルランド、ウェールズ、そしてインドやその他の海外植民地などの全体を包括するものでした。

それは、フランスやドイツやイタリアのような形での国家形成／国民形成ではありませんでした。しかし、過去70年間でブリテンは帝国のすべてを失ってしまいました。アイルランドもそうです。そしてスコットランドさえ、離脱したがっています。したがって、ブリテンはますます小さくなり、そして

イングランドそのものになっていっています。

　そして興味深いのは、地方部の人々がブレグジットを支持する投票を行い、ロンドンは支持しない傾向にあったということです。ロンドンは世界都市であり、国際色が豊かな場です。そして地方部はそこに住む人々の頭の中では「伝統的」であると想像されるようになっています。地方に住む人々はとてもイングランド的で、イングランドの食べ物を食べ、イングランド風の建物や庭園と親しんでいる。この人々は非常にイングランド的に形作られている、というイメージです。それがまた歴史になっていくのです。

内田　どうもありがとうございました。大変明瞭に理解できました。

日本における文化遺産のレジーム

奥村　時間もありませんが、もう一つだけ質問したいことがあります。

　3つのレジームの区分についてです。日本では、本格的な文化遺産の保護と活用のための法律である文化財保護法は、1950年に制定されました。法的には、この時点が大きな画期となります。その理念の中には、世界文化にとって日本の文化財も重要な位置をしめているとの理念があります。これは第二次世界大戦後の国際的な状況の中での日本の位置、すなわち、極端な国家主義が戦争を引き起こしたという反省から、世界の文化に貢献できる文化国家になるという論理が、そこには反映されています。これは第二次世界大戦が一面で国連の形成へといたるグローバルな枠組みの形成と深く関係していると考えます。第二次世界大戦後の文化的側面における一国的な制度化は、国際的な制度化と同時期に生じています。「文化遺産研究の革新に向けて」の時期区分では、国民国家の形成と展開ということで、第一レジームの範囲に入りますが、第二レジームの早期の事例ともいえます。ションコイさんは、第二次世界大戦そのものが文化遺産に与えた影響をどうとらえますか。

ションコイ　とても素晴らしい質問です。本当にありがとうございます。1セメスターかけて話ができる問題です。

　文化遺産は、現在では世界共通の言葉です。50年前、100年前よりはるか

に複雑な内容になっています。私が文化遺産の「レジーム」というモデルを作ったのはこの文化遺産という言葉の発展を理解するためでした。つまり、レジームというのはあくまでモデルです。そしてどの国でも、時期区分は異なるものです。しかし、その3つのレジームを同じ特徴に基づいて区分けすることができます。

　第一のレジームはどの場合でも連続性を断ち切る断絶によってはじまります。

　遺産の歴史が最も長いのは、ブリテン、そしてフランスで、それは200年に及びます。フランスにおける「断絶」とは、フランス革命のことです。イングランド、ブリテンでは、それには産業革命が該当します。ハンガリーでは、断絶は1848年の革命によって生じました。

　そうした時に、社会は自分たちが過去から切り離されてしまったと認識し、何か新しいものを打ち立て、そしてその刷新の動き（近代化）が過去への郷愁を生み出すことになります。日本におけるそうした断絶がいつになるのか、私はわかりませんが、おそらく明治維新が非常に重要だったのではないかと思います。しかし明治維新の文化的影響力がどれほどのものだったのかは、私はよく知りません。

　しかし奥村教授が指摘されたように、第二次世界大戦は大きな断絶だったでしょう。私はその専門家ではありませんが、かなり妥当なことのように思えます。おそらく、これが日本近代史の最大の衝撃だったでしょう。私がそう考えた理由は、日本で最初の［文化遺産に関わる］法律の制定が1950年だったことです。ただし重要なことですが、発足当初のUNESCOは1945年の時点では遺産という言葉を使っていませんでした。彼らが使っていた言葉は教育、科学、文化でした。これら3つの言葉は幸福な未来という考えを投影したものですが、そこには遺産という言葉はありません。この遺産という言葉が選ばれるまでには、とても面白く、複雑な歴史がありますが、それをお話しする時間は我々にはありません。

　UNESCOで遺産という言葉が登場するのはそれから20年後のことです。1960年代半ばに、UNESCOは、その機関の最初の任務であった、統一された人類の文化を創り出すことはできないと実感しました。それは「ミッション・インポッシブル」（遂行不可能な任務）だったのです。20年間にわたり、

UNESCOはそれに代わる概念を探し求めました。そして60年代にはそれが遺産に決まり、そして世界遺産条約（1972年）がこの言葉を世界規模のものにしました。

　フランスでは遺産の第一レジームは250年前に始まりました。ハンガリーでは80年から100年前です。日本では、30年前かもしれません。そしてイランではその期間はありませんでした。なぜなら、イスラム教では歴史的記念碑（モニュメント）の保全は禁じられていたからです。

　サウジアラビアやそのほかの湾岸諸国、アラブ首長国連邦、クウェート、カタールなどを見てください。10年前、記念碑の保全は禁止されていました。イスラム教国だったからです。現在は、数百万ドルもの費用を記念碑の保全に投じていますが。

　つまり、これらの国では、たとえ世界遺産があり、第二レジームにあたる状態にあり、遺産に関わる歴史があったとしても、第一レジームは経験しないままそうなったのです。

　このように、レジームはモデルなのです。これは重要です。

　日本はこの場合、特別な位置にあります。なぜなら、日本は西洋と世界のその他の部分との中間にあるからです。日本にも第一のレジームは確かにあったでしょうが、おそらく短かったと思います。それでも、非常に興味深い研究トピックです。

　そして、第三レジームも大変複雑です。これは全体的に第二レジームへの批判です。そして私の印象では、現在すでに第四レジームに入りつつあります。これについて議論するのは今後ということになるでしょう。というのもこれは全く真正性に関わることだからです。これがいかに新しい真正性か、という問題です。こういうトピックもあります。

　ともかく、レジームがモデルであるということを理解することが重要です。つまり、第一のレジームというのは国民／国家（nation）や国土（country）や帝国（empire）が過去から切り離されたと認識した瞬間に生じます。これらのうち日本はどれにあたるかはわかりません。日本は国民国家でもあり帝国でもありますから。そして同時に、失われた過去を保とうとした時、過去から残されたものを保全しようとした時に第一のレジームは生じるのです。

奥村　なるほど。ありがとうございます。そろそろ時間が無くなってきましたね。

市原　ションコイ教授、有益で実りある、また刺激的なご回答と示唆をいただきありがとうございました。そろそろ、ミーティングを締めくくる時間がやってきましたが、何かお話ししておきたいトピックがあるようでしたらお願いします。

〈中略〉

市原　それでは、これで本日のミーティングは本当に終わりにしたいと思います。ションコイ教授、皆さん、お時間をいただきありがとうございました。
　ションコイ教授とはまたオンランであってもお会いできることを楽しみにしております。そして、神戸にお迎えできることを願っております。
　今日はありがとうございました。さようなら。

EU・日本の歴史と文化遺産に関する座談会
2.EUにおける文化遺産の意義を中心に

日時：2022年9月22日（木）
参加者：ションコイ・ガーボル（以下、敬称略）、奥村弘、加藤明恵、
市原晋平（司会・通訳）

　　本座談会は、神戸大学大学院人文学研究科及び科学研究費補助金特別
推進研究「地域歴史資料学を機軸とした災害列島における地域存続の
ための地域歴史文化の創成」（代表：奥村弘）研究グループの招待によ
り2022年9月後半にションコイ・ガーボル教授が日本に滞在した際に、
ションコイ教授の「文化遺産」論への理解をさらに深めるために神戸大
学人文学研究科にて開催された。

欧州遺産認定制度によるヨーロッパアイデンティティの構築

奥村　日本滞在中の貴重な時間をこの座談会に割いていただきありがとうご
ざいます。9月18日に日本の研究者向けにヨーロッパの文化遺産政策の考え
方についてレクチャーいただきました。今日はその時のお話とも絡めた質問
から始めさせてください。

　　ションコイさんは「脱領域化」「脱歴史化」したヨーロッパ・アイデンティ
ティの完成というお話をご著作や講演でもこれまで語られてきました。つま
り、EUという枠組みを非常に重要視し、その中で、歴史や文化遺産を捉え
てこられたと思います。60の欧州遺産について言及されていました。それら
のそれぞれ個別の文化遺産を、具体的には、どういう形で、ヨーロッパ全体
の遺産として捉えているのでしょうか。60もの遺産はどのようにしてEU全
体という一つの枠組みや価値に昇華・普遍化されているのか、それぞれの
遺産はどのようにしてEU全体に関わるものとして位置づけられているのか、
という点に興味があり、気になっています。

ションコイ・ガーボル教授　まず、ヨーロッパ的価値は一つではありません。

特定の遺跡や文化財が欧州遺産となるには3つの基準があります。第一に欧州的な意義（Euopean significance）を有していること、つまりヨーロッパに帰属する価値観を体現しているものです。ヨーロッパと関わる諸価値は既に存在していますが、そのうちのどの価値をより重要な模範（canon）とするかは、進行中の議論です。2つ目が企画内容の善し悪し（project）、3つ目が資金力のともなう組織編制（Organization of capacity）です。

あなたは「脱領域化」と「脱歴史化」に言及されました。鋭い質問です。ヨーロッパ経済共同体（ECC）の成立以来過去60年間、ヨーロッパはそれ自身のアイデンティティについて無頓着でした。ヨーロッパについて語られるとき、そこでは通貨のユーロや、ソーセージのサイズについての取り決めのような、様々な規定などが問題にされており、ヨーロッパのアイデンティティというものについては話し合ってはきませんでした。そして近年、欧州遺産認定制度（European Heritage Label、以下EHL）というものがとても遅れて登場してきました。誰もが知っている世界遺産とは違い、ヨーロッパ人さえ、その大多数はこのEHLのことをいまだによく知りません。［欧州遺産の認定が開始された2014年以来、］現在は「見逃されてきた50年間」を取り戻そうとしているのです。

そしてブレグジットはとても良い事例でした。あれは、イングランドという国家（English nation）を作ることを目指した運動だったからです。かつてイングランド的な国民・国家はありませんでした。あったのはブリテン帝国（イギリス）でした。しかし、1990年代から「イングランド」国家が始まりました。ブレグジットは大変混成的な出来事でした。なぜならロンドンや大都市はEU離脱反対に投票したのに対し、「イングランド人」を自認する地方の人々の多くは、ブレグジットを通じて自らのアイデンティティを表明した（離脱賛成に投票した）からです。この国家建設はEUの一部を分解することで始まったのです。その意味で、国民・国家形成（Nation building）とは、EUにとってのライバルなのです。

EHLの基準についてもう一つ付け加えるならば、EHLのみならず、EUにおけるあらゆる事業が、ビジネスの論理に由来する先ほど述べた3つの基準（欧州的意義、企画の内容、組織力）と同じロジックに従って動いています。

原子力技術にしても、環境分野にしても、ナノテクノロジーにしても、同じ方式なのです。これらの分野とEHLが同じロジックで動くのは滑稽な話ですが。

　重要になるのはいつも、その遺産に関わる事業が、いかに社会的な効力を及ぼし、その成果がどのように社会に届くか、です。

　そして組織の規模も重要です。資金力があり人員もいる組織であれば［遺産・遺跡の管理は］容易なことです。

　そのうえで、遺産認定において優先されるのは、こうした基準における卓越性です。

　EUの事業というのは一つの大きな挑戦です。皆さんは一般的に国家を基準とする言葉遣いに親しんでいます。それをEUという枠組みの言葉遣いに変えようというのですから。

　こうしたビジネスに由来する、いつも同じ基準でそれは進められます。

　日本でも助成金などに応募するときは同じような基準が適用されませんか？

EU的言葉遣いによる普遍的価値の強調

奥村　その通りですね。

　「EU的言葉遣い（EU discourse）」というのが日本人からするとすこしわかりづらいところですね。日本人には「国家基準の言葉遣い（national discourse）」しかないとも言えますので。両者の違いは何なのでしょうか。

ションコイ　ある一つの文化遺産についての「国家基準の言葉遣い」と「EU的言葉遣い」の違いをお話しします。ハンガリーにはリスト音楽院があります。「国家基準の言葉遣い」では、［それが重要だと認められるためには、］この機関がハンガリーにしかない「固有性」を有することを示す必要があります。「EU的言葉遣い」において、提示される必要があるのは、その機関が有する「共通性」や［ヨーロッパにおいて担っている］「役割」や「ネットワーク」です。

　「国家基準の言葉遣い」では、参照軸は「国民・国家（ネイション）」です。「EU的言葉遣い」における参照軸は「移民／移動（migration）」「地方（region）」

「地域／地元（local）」です。これらすべては「国家」ではありません。リスト音楽院の事例になりますが、この機関はハンガリーの国定記念碑（national monument）です。そして最近欧州遺産として認定されました。この機関を国内で重要性を持つものとして扱うためには、ハンガリー人の偉大な音楽家リストが設立した音楽院であり、ハンガリー国内の音楽の重要な中心であることや、リストがハンガリー国民音楽の創始者であること、などが意味を持ちます。国家的、国民的、国内的に意味があること、というわけです。欧州遺産としてリスト音楽院を取り上げるのであれば、リストがヨーロッパ人であったこと、ワーグナーやメンデルスゾーンなど、ヨーロッパ諸国の作曲家とのネットワークを有していたこと、設立以来、多くの在籍学生が外国籍だったこと、現在では50％がアジア人であり、そのためこの機関を通じてヨーロッパの価値観のグローバルな普及に貢献していること、などをその重要性として強調することになります。重要だと見なされる価値は「協力」「合意」「平和」「平和的共存」などです。こうしたことを強調してほしいと、申請書の要項にもオープンに書いています。逆に「国民・国家」（ネイション）とは、歴史的な観点から見た場合、より攻撃的なものです。「国民・国家」の形成はいつも流血とともに始まり、他者に対して敵対的に自らを提示してきました。EHLへの申請にこうした国家的な価値観を強調するなとまでは書いていませんが、このことだけを強調しても欧州遺産認定を獲得することは恐らく難しいと私は分析しています。私はEHL選考委員団で5年ほど働いており、2年ごとに受け付けている申請書類の50パーセント程度はEU的な価値以上に国家的な価値をより強調するものでありましたが、実際のところそれらの申請は大部分却下されました。

　国家的な価値観は確かに、ここ100年ほどの間、学校で教えられてきました。そのため、申請者たちの半分ほどは、自分たちが欧州認定を求める遺産について「国家基準の言葉遣い」に基づいた表現をしがちなのです。

奥村　日本の学問においてかつての西洋史のようなヨーロッパ研究が担った位置づけと似ているところがありますね。日本では、日本が普遍性を有することを対外的に主張しようとするときに、ヨーロッパが有する価値（歴史

上の議会的伝統など）を日本も有していると主張することで、自らの普遍性を示そうとしていたことがありました。ヨーロッパの知的潮流が日本社会にとって参照点となっていたのです。1980年代くらいまでは、日本史の分野でもヨーロッパの歴史学を紹介する西洋史の議論が参照軸になっていました。

　例えば京都の町衆・町運営などの研究において都市住民の主体性を強調する傾向があるのは、ヨーロッパの歴史における都市市民社会やアソシエーションのモデルを参照して、日本における市民的自立性の伝統を主張しようとしたからです。

ションコイ　そうですね。この種の話で私が唯一覚えている日本の事例は、日本の中世に関する議論です。そこでは、いかにして日本にヨーロッパの資本主義が応用されたかが論じられていました。しばしば起こることですが、ヨーロッパにとって、市民社会がない時代や社会は、非難されるべきことを意味していました。ヨーロッパやアメリカの歴史家はアジアの歴史を、市民社会がないがゆえに先進的なものとは言えないと非難してきました。また、ドイツのケースは非常に面白いものです。第二次世界大戦後、アメリカはドイツでなぜナチスの台頭が生じたのかを理解しようとしました。アメリカの歴史家は、しばしば、ドイツの市民社会が問題を抱えていたからだと主張しました。これは非常にばかげた解釈です。歴史的にドイツは都市のような中間権力の集合体から成り立っており、歴史的ドイツ社会の土台には市民社会があったからです。私は日本にもアソシエーションがあると感じています。昨日有馬を訪問した時に、街角で何らかの神様を祀っている小さな祠を見つけました。市原さんの説明では、その管理主体は神社などの宗教施設ではなく、有馬で商売をしている店主たちや町内会などの団体が管理・維持しているのだろうとのことでしたが、これはまさにアソシエーションでしょう。

　アソシエーションは、参加、繁栄、共創などの価値を体現するもので、それらが実現可能な単位であり、その非常に重要な尺度です。

　残念ながら私は日本史のことは詳しくありませんし、高々10日ほど滞在しているだけですが、その限りでいえば、日本には市民社会が組織されています。それも上からトップダウン型ではなく、ボトムアップ型の組織がしっ

かり根付いているのを見て取れました。

　あなた方がイタリアのミクロヒストリアやドイツの日常史研究（Alltagsgeschichte）をご存知かはわかりませんが、こうした試みは、ヨーロッパにおける尺度を変えようという動きでした。

　これらの国でそのような動きが生じたのは、偶然ではありません。その国の歴史家たちがナチスやファシズムではない歴史を説明しようとして、その方法になったのです。

　1990年代まで、国家（ネイション）とその統合というマスターナラティブ、大きな物語がありました。しかしその後、関心は統合以前に向きはじめ、そこに「良き歴史」、「良き遺産」を見出そうとしました。文化論的転回はご存知でしょうか。それまではあるネイションの一部として理解されてきたような小さな集団が、自分たち自身の固有アイデンティティを見つけ出そうと動き出し始めたのです。大体それと同じ時期に、ドイツとイタリアの歴史家たちは、アナール学派から影響を受けつつ自分たちの歴史の評価尺度を変え、歴史を書き直し始めました。同じころ、アナール学派（第2世代）はアメリカから資金援助を受け、大学的な機能を有する機関を設立しました。こうした動きの背後にはフランスとドイツの対立が横たわっていました。さらなる対立を避けようとすれば、歴史を書き換える必要があったのです。政治であれば国家間対立の歴史として語らざるを得なくなってしまうところを、社会史や経済史に変更しなければならなかったのです。もちろん、アナール学派が登場するのは第二次大戦よりも前ですが、戦後フランスのとある基金がアメリカから多額の資金を受け取り、アナールに出資しました。その結果、アナール学派はフランス史を政治史ではなく、社会経済史に基づいて書き換えたのです。

奥村　そこでもある意味ネイションの力が働いているのですね。

ションコイ　歴史はニュートラルではありませんからね。

ボトムアップ型市民社会の組織と歴史の再考

ションコイ もう一つ付け加えますと1990年代以降、歴史を共有することを目指すヨーロッパの数多くの取り組みがなされていきました。そのころフランス・ドイツ間関係の歴史を書き換えるための和解委員会が立ち上がり、歴史教科書を共同執筆します。それから90年代には同様の理由でドイツ・ポーランド間の歴史和解委員会も立ち上がりましたが、この委員会はうまく機能しませんでした。ヨーロッパ・アイデンティティを構築することができなかったのです。歴史家たちの中にはヨーロッパ・アイデンティティの提示に失敗した人たちもいました。

　「欧州歴史の家（House of European History）」も共有された歴史を作り出そうとした試みのもう一つの事例です。この施設が開設されたのは2017年でしたので、計画の開始から約30年間準備を要したことになります。そこにはヨーロッパ中から歴史研究者が集められ、この人々はヨーロッパ・アイデンティティが必要であると語っていました。ヨーロッパ的な、ヨーロッパ規模の博物館を作ろうとしたのです。この「博物館をつくるんだ」という思想は典型的な国家形成のやり方です。その後30年間、歴史研究者たちは合意に至りませんでした。この人々は、いつヨーロッパが始まったかさえ分からなかったのです。

　最初の問題は、この博物館はどこから始めるのか、ということでした。ヨーロッパの始まりの場所はどこだったのか。歴史家たちは、シャルルマーニュから始めました。その議論が始まったのは1980年代のことです。そこには、スウェーデン人もハンガリー人もいませんでした。次に、ギリシャのアテネがそれにあたるという主張がありました。その時点で開始から20年かかっていました。それでも意見の一致に至りませんでした。そしてその間にEUはさらに巨大になっていきました。12か国から現在の27か国（最大時28か国）にです。つまり［共通の］歴史について語ることがもっと難しくなりました。最終的に、歴史学者たちはメンバーに博物館学の研究者を招き入れました。その結果、この施設は「博物館（Museum）」ではなく「家（House）」の名を冠することになったのです。

ところで、歴史に対する「遺産」や博物館に対する「遺産の家」とはどういうものなのでしょうか。「家」はふわっとした意味合いの、硬くない言葉です。アイデンティティに関する場所ですが、シリアスではない。

　以上の2つの事例（歴史和解委員会教科書、欧州歴史の家）が示すのは、古典的な学問（つまり歴史学）は、ヨーロッパのアイデンティを書き直すことができなかったということです。それらは非常に多くの「国家基準の言説」に満ちていましたから。それが、ヨーロッパ・アイデンティティを形作る際に、歴史学ではなく、遺産的な過去が必要となる理由の一つです。だからこそ、遺産というものが非常に重要となるのです。そしてヨーロッパ・アイデンティティの構築という領域では、歴史研究者は、マイナーで周辺的な存在となりました。私が所属するEHL選考委員団でも、歴史家はしばしば一人しかいないことがありました。全部で13人のメンバー中には、イタリアの歴史学者もいましたが、その後私一人になりました。悲しいことです。

奥村　ネイションという枠組みが問題であるというあなたの議論は確かに理解できます。しかし、歴史を領域的に理解しようとした場合、ネイション、インターナショナル、そしてリージョンという三層で理解することになり、その中で必ずネイションについて語らざるを得なくなるように感じるのですが、その点についてはションコイさんはどのようにお考えでしょうか。

ションコイ　ご質問をしっかり理解できたかはわかりませんが、コミュニティに期待されていることは、説明の尺度を変化させられるということだと私は考えています。同様に、歴史家がすべきことも尺度を変えることです。フランス史の叙述はこの観点から非常に興味深いものです。例えば、『フランス史上の100の偉大な日』という本があるとします。その日付けには、1789年のフランス革命の日付などが記載されています。こうしたタイプの本は、かつて100年前の学校の教科書で、歴史や日付がどのように説明されていたかを示すものです[つまりこの本は、100年前の歴史学のように、ネイションを基準とした古い尺度に従って、歴史を記述しています]。現在の歴史家は、そうではなく、この手の国家基準の歴史読本の説明が、今日ではもはや意義

を持たなくなってしまった理由を2頁の記述のうちに説明するのです。

　もう一つの試みは「フランスのグローバルヒストリー」、すなわちグローバルネットワークを意識しながらフランス史を書き直すというプロジェクトです。これは新しい潮流であり、どのようにすればナショナルなレベルの記述を捨てずに新しく歴史を書き替えられるか、という試みです。つまり、ネイションは今や、ヨーロッパ、ネイション、リージョン、ローカルの4つの領域のうちの一つとして語られるようになり、歴史叙述の唯一の主体や最上の地域概念ではなくなりました。もはやネイションのみを語ることはなく、その他の領域との関係を踏まえながらその歴史は描かれ、位置づけられるものなのです。この背景には「比較史」アプローチの失敗があります。

奥村　比較史の失敗とは何ですか。なぜ比較史がここで問題となるのでしょうか。

ションコイ　そもそも比較史とはどういうものでしょうか。

　大戦間期のフランスの芸術と日本の芸術を比較してみたとしましょう。

　そもそも、「大戦間期のフランスの芸術」とは何のことでしょうか。当時にも非常に多くの模範や非常に多くの活動があったのです。これを一方の比較対象とするのは簡単なことではありません。このやり方をネイションの比較に切り替えましょう。ネイション1とネイション2を比較したとします。しかし、この二つのネイションは比較可能なのでしょうか。ネイション1とは何なのでしょうか。ネイションは決して同質なものではないのですから。

　もし近年の新しい潮流である4つの領域レベルの中でネイションを捉える視点を採用すると、ネイションはネットワークとの関係の中で捉えることができるようになります。

　もっと多くの例もあります。

分裂したヨーロッパにおけるEUの位置づけ

奥村　普遍的価値とヨーロッパ的価値の関係性について、ヨーロッパの方々はどのように考えているのでしょうか。日本の近代では、ヨーロッパの価値

観のことを普遍的な価値観だと理解していたこともありますし、それを目指すべき指標としたり、歴史上押し付けられてきたものとして捉えてもきました。日本人の目からすると両者の違いが分からないのですが、ヨーロッパ的価値の位置づけについて伺えますか。

ションコイ 大変興味深い質問です。私ははっきりとはわかりませんが、おそらく、ヨーロッパはいまだにそのような植民地主義的アプローチをとっているのかもしれません。

ただ、ヨーロッパというのは非常に分裂した存在です。私は中欧、あるいは東欧の人間です。この分裂はヨーロッパの統合を進めるうえでの問題の一つです。

ハンガリーのヴィクトル・オルバーン首相はちょうど良い事例ですが、多くの東欧の政治家たちは西ヨーロッパが東ヨーロッパに多くを押し付けていると語ります。多分、それは本当のことなのでしょう。ただし、私は、その代替としてオルバーンが提示するものの中に良いものを何も見出してはいません。オルバーンは排他的ですし、ネイションに執着しています。移民を排除し、マイノリティに辛辣な態度で、女性に少子化の責任を押し付けます。左右の両極のうち、オルバーンは一方の極にいます。

そしてもう一つの例を見てみましょう。もう一つの極にいるのは、スカンジナビア諸国やフィンランドなどの人々です。ローラジェーン・スミスが提唱した「権威化された遺産言説」（authorized heritage discourse）という議論があります［訳註：国家機関や専門家などの「権威ある人々」の言葉が、「遺産」への向き合い方や、あるべき「遺産」の姿、「遺産」をめぐる実践の在り方を支配・規制してしまっており、そうした考えに基づいて認定された「遺産」を通じてこうした「権威」とそれ以外の「遺産」関係者との不平等な関係が再生産されてしまう、という議論。「遺産」の申請や管理などをめぐる参加型の遺産実践や批判的遺産研究が国際的に発展するきっかけとなったとされる。］この議論に基づけば、EUは帝国主義的な権力であり、EU中枢のブリュッセルや指導国ドイツはイギリス帝国を想起させるものです。そのような立場の北欧諸国もまた、EUは抑圧的であるという非難を行っています。

私の考えでは、実際はそうではないはずです。EUは合意というやり方にこだわってきましたから。

　こうした左右の価値というものは、すべて非常に動態的なものです。恐らくそこが弱点でもあるのでしょう。なぜなら、オルバーンも、あるいは別の極にいる過度にリベラルな人々も、戦闘的だからです。EUは「戦闘しない」存在です。EUは「提案する」存在なのです。問題となるのは、穏便なやり方でアイデンティティを構築することはできるのか、ということです。私は歴史においてそれが起こったのを見たことがありません。アイデンティティというのは、いつも攻撃的で、強く、血を必要とする、儀礼的なものです。いつも誰か他者に狙いを定め、自らと区別するのです。その一方でヨーロッパが行っているのは、穏便で、感じの良いやり方です。

　ところで、質問をお返ししたいのですが、なぜ奥村先生は、ヨーロッパが価値を押し付けていると感じたのでしょうか。その考え方にあなたを至らせたのは何ですか？

奥村　これはやはり、帝国主義、コロニアリズムの問題が大きいでしょう。かつてのヨーロッパはヨーロッパの考える文明性を体現する国のみが主権国家として生き残ることができ、それ以外は植民地となるべきだというメッセージを近代の始めの日本に対しても発していました。その時代の強烈な衝撃が私のような日本の歴史家には意識されており、一種のヨーロッパイメージを形作っています。だからこそ、時代が変わった今でも、ヨーロッパが普遍を語る時、そこにヨーロッパの価値観が前提とされているのではないかと感じるのです。帝国主義的要素が死んでいるようで、今も生きている、といった感覚です。

　これはさらに複雑な話ですが、近代日本はこのヨーロッパ的な価値観に反発して、ヨーロッパに対抗するためにアジア主義を打ち立てようとし、また自身が帝国として、アジアの国々を支配しても構わないのだという考えに至ってしまいました。

ションコイ　おっしゃっていることはよくわかります。現在のEUではポス

トコロニアルがキータームになっています。EU中枢のブリュッセルはヨーロッパの構築に向かっています。もしあなたがヨーロッパは植民地主義的だと考えていたとしても、ヨーロッパで「あなたは植民地主義的だ」と誰かに言うことは、それはセンシティヴで掟破りのことです。そのことを口にしてはいけません。ブリュッセルで議論の相手を欧州中心主義者や、植民地主義者呼ばわりすることは、恐ろしい禁句だと見なされているのです。

あなた方がヨーロッパをいまだに抑圧的だとおっしゃったのは興味深いことです。なぜなら言葉遣いのレベルでさえ、EUは中立とか、統合的とか、平等であろうとしているからです。

奥村　すみません。そんなつもりで言ったわけではありませんでした。私が念頭に置いていたのは、今日のヨーロッパのことではなく、日本が近代ヨーロッパと出会った時代のことを念頭に置いていたのです。今のヨーロッパについて我々が植民地主義的だと思っているわけではないのです。

ションコイ　わかりました。あなたは先ほど「文明（civilization）」という言葉について言及されましたが、いつこの言葉が作られたかご存知ですか。1760年代です。その時期までそのような言葉はありませんでした。この言葉は「運動（movement）」だったということです。「文明的（civil）」とは、「未開人（barbarian）」ではない、ということを意味します。つまり、ヨーロッパ人のことでした。そしてまた、まだそれが明らかになる前から単一的な「人間性（humanity）」が存在することも想定されていました。これらは啓蒙主義の考え方に典型的なものです。

「人間性」が必要となり、また一方では「運動」が必要とされた時に起こったのが、革命でした。

そして、この「文明」という言葉は、イギリスとフランスで、同時並行的に発明されました。

ドイツはこの言葉を嫌いました。どうしてだかわかりますか。日本と同じ理由でドイツも文明という概念を押し付けだと嫌がったのです。「文明」という考え方は発展度合いのレベルを設定するもので、序列が決まっているも

のでした。たとえばイギリスがトップだという風に。そして、東ヨーロッパは2番目の序列に位置づけられます。この時期に、東ヨーロッパという概念も作り出されたのです。ヴォルテールやルソーといった18世紀フランスの哲学者たちが作り出したのです。プロイセン、ハプスブルク、そしてロシアという3つの帝国の領域を、［ヨーロッパの文明化されていない部分として］東ヨーロッパと呼んだのです。そのあとに登場したナポレオンがやったことというのは、自身が支配したヨーロッパ各地をフランス式に変化させたことでした。ドイツ語圏の都市の名称をフランス語に変えてしまいました。こうした理由は、「私たち［フランス］はあなた方より文明的なので、助けてあげるのだ」ということでした。これこそが植民地主義です。だからドイツ語圏では「文明」という言葉が嫌われたわけです。そして別の言葉を好みました。「文化（culture）」です。この言葉は、「文明は悪しきものである」という考えを体現しています。そして現在、EUでは、「文明」という言葉は使われていません。

　そしてもう一つ、私は先ほど「穏当なやり方でのアイデンティティ構築」についてお話ししましたが、これは第二次世界大戦後のドイツが試みていることです。そのキータームは「内省的（reflective）」という言葉です。この言葉の意味は、批判的であるとか、深く、よく考えてみる、ということです。現在の東ヨーロッパのポピュリストたちがドイツを非難するのは、ドイツが彼らに「内省的であれ」と言っているからです。

奥村　とても面白いですね。

　一つ分かったことは、ションコイさんがおっしゃっていた、価値観の面で分断されているヨーロッパ各地が、現在まさに、新しいシステムの導入や考え方の創出によって、統一されたものとして作られているのだ、ということです。

　そして、その試みは、日本と近隣諸国との関係の歴史を考えるうえでも、とても参考になることなのではないかとも思いました。今のアジアにも、これまでも、「アジア連合（Asian Union）」のようなものがありませんので、大変なのですがね。

ションコイ　ヨーロッパは違います。なぜなら、ヨーロッパは、シャルルマーニュの時代の「西方／オクシデント（occident）」という言葉にさかのぼる「西洋（West）」という概念を持っていましたので。ヨーロッパはこの「西方」概念を土台にして自らを構想できたのです。そこには、宗教的共通性（キリスト教）や文化的共通性（文章はラテン語で書かれる）などがありました。とても複雑なものですが。

　アジアには宗教的な共通性はありますか？

奥村　アジアでは、確かに宗教的な共通性はありませんが、中国の儒教が、宗教とは言えないかもしれませんがその近隣のアジア諸国では倫理的規範として大きな力を持ちましたね。もし歴史に最も即した形で、「アジア連合」なるものを構想するとなると、恐らく中国を中心とする、その周辺諸国との連合体というものになるでしょう。それが望ましいというわけではありませんが。

ションコイ　中国が大きすぎるわけですね。脅威なのかもしれません。EUでさえ、ドイツが大きすぎる、匹敵する競争相手がいない、と言われています。

非地理的概念へ向かうヨーロッパ

ションコイ　ところで、ロシアにはユーラシア（ユーロ・アジア）アイデンティティがあります。ソ連の時代はそれに依拠していました。また、プーチンもいまだにユーラシアについて語ります。私はそれを支持しませんし、中国が脅威とみなされているのと同じくらいにはたちが悪いものです。

　もちろん、日本もまた、非常に刺激的な事例です。なぜなら、日本は、西洋的なモデルには当てはまらないからです。日本は明治維新以来、ある意味、西洋的な国家だと言えます。イスラエルのような国と近いところがあるかもしれません。イスラエルはアジアにある国ですが、エラスムスプログラムや文化研究プログラムなど、どのヨーロッパの事業にも参加しています。基本的にヨーロッパの国としての機能を備えています。

　私の考えでは、ヨーロッパとは、どんどん地理的な意味合いを失っていっています。

フランス啓蒙主義者の観念においては、また帝国主義の時代においても、ヨーロッパとは地理的概念でした。この後のポストコロニアル・アプローチも大きな地理的な単位に反対しているわけではありません。ポストコロニアルのモデルは、文明を単位とするものでもありません。この文明を大きな単位とするモデルは、南アメリカで機能しています。しかし、世界のほとんどの地域では、機能していないモデルです。

　もちろん日本も、大戦間期に、その帝国主義的な目的のためにアジアを利用しましたよね。一方でそのやり方は、まさに典型的な国民国家形成（ネイション・ビルディング）のアプローチにも合致しています。どこかの土地に対する主権を主張し、そして、占領するのです。私の考えるところでは、EU統合のモデルは、そのようなものとは違います。

　また、特にロシアのことを考えてみても、ヨーロッパが地理的な概念ではないのだということは徐々にはっきりとしてきています。

　私は先ほど言いましたが、日本はロシアよりもヨーロッパに近い存在だと思います。現EUの一員であるハンガリーよりも日本はヨーロッパ的です。

　フリーダムハウスというNPOをご存知ですか。民主主義の度合いを測っている組織です。

　100点満点で、日本は［2021年の調査結果では］96点を獲得しています。ほとんどのヨーロッパの国々よりも日本の点数の方が上でした。

奥村　現在の日本が特別ひどいというわけでもない気はしますが、おっしゃるほどヨーロッパに近かったり、それほどの得点に値すると感じるかは人によるでしょうね。それはそれとして、現在のロシアの動きは1930年代の日本を見ているような感覚になります。とても似ているように感じるんです。

ションコイ　私はロシアが核兵器を使わないことを願っています。プーチンはおかしくなっていっているように思います。それにしても、似ていますね。それでも、私は、現在のロシアは1930年代の日本よりも弱いと考えています。私は想像しているだけですが、日本は満州を占領し、東南アジアに侵攻し、ほとんどインドまで迫る勢いでした。アジアの半分程度にも及ぶ広大な領域

にその手を伸ばしていました。一方、[2022年9月22日時点では、] ロシアは
ウクライナの3つの州すら完全に占領・掌握できていません。

　つまり、1930年代の日本の方が、巨大であり他の勢力にとっては脅威とし
て恐ろしい印象を与えたでしょう。アジアでそれを感じたのはオランダで
しょうし、香港などでもヨーロッパ勢力は敗退しました。そしてアメリカと
4年も戦争しています。

奥村　それが素晴らしいこととは言えませんが、そのような側面があること
は確かですね。

ションコイ　それは輝かしい栄光ではないでしょう（笑）。それでも、当時
の日本は現代のロシアよりはるかに強力だったと言えます。

奥村　途中から、ただの世間話・雑談のようになっていましたが、それでも
ここまでのやり取りでションコイさんのお考えがだいぶよくわかりました。
特にヨーロッパやヨーロッパ的価値についてどのようなことを考えていらっ
しゃるかがよくわかりました。

ションコイ　実際のところ、ここで議論したEUの価値を体現するものとし
ての遺産などについては、EUの歴史家たちにとっても複雑だと受け止めら
れています。多くのヨーロッパの歴史家はこうした議論を追求してはいませ
ん。彼らは「遺産」を自分とは関係ない領域だと考えていますし、その研究
のための資金もない、とよく言います。

「遺産」に携わる多様な人びと

加藤　最後に一つ質問があります。歴史家は文化財に関わらない、というお
話をされているのだと思うのですが、では、だれが関わっているのですか。
日本では、文化財に関わるのは歴史家であるというのが共通認識、というか
前提としてあると思うのですが、ヨーロッパではどうなんでしょうか。

市原　「文化財」とションコイ先生の言う「遺産」では、また意味合いが違うかもしれませんので、その違いについても伺ってみます。

ションコイ　歴史家以外の誰が「遺産」と関わるのか、ということであれば、それは国によって異なります。西から説明を始めましょう。イギリスでは、地理学者です。なぜなら、イギリスでは文化地理学というジャンルが盛んな分野だからです。文化地理学は1990年代にはじまりました。その時のキー概念の一つが「遺産」でした。この潮流は80年代のサッチャー政権時代の伝統に由来するものです。サッチャー時代にいわゆる遺産ビジネスが始まります。この時、19世紀のヴィクトリア時代へのノスタルジーと新自由主義経済が結びつくという奇妙なつながりができました。回顧的である点で保守的ですが、それを経済的に利用する点ではリベラルということです。この時代に、イギリスで数多くの文化的な遺構・遺跡が作り出され、城などが改築されました。「遺産ブーム」が起こったのです。

　フランスで「遺産」に関わっているのは、遺跡などの記念碑保全の専門家です。多くは建築家です。また文書館員にもそれにあたる人たちがいます。フランスでは、「遺産大学（Universités du patrimoine）」が25年くらい前に創設され、「遺産」の復元、アーカイブ、収蔵などすべてがそこでできるようになっています。

　ドイツでは、「遺産」という言葉を使いたがらない傾向にあります。むしろ「記念碑／モニュメント」（Denkmal）という言葉を好んで使ってきました。しかし最近、ドイツは、EUから助成金を引き出す可能性を窺って、「遺産」という言葉を使い始めました。その主な舞台となっているのはGLAMに属する諸機関です。GLAMというのは、美術館（Galleries）、図書館（Libraries）、文書館（Archives）、博物館（Museums）の頭文字です。これらの機関は財政状況が十分ではなく、より多くの資金を必要としています。現在「遺産」にかかわるヨーロッパの助成金プロジェクトでは、いつもドイツの博物館、文書館、図書館などの名前を見ることになります。これがドイツの現状です。

　ほかの国では、「遺産」への関わりは、何かに付随する領域だと捉えられています。「権威化された遺産言説」という観点を発見したスカンジナビア

諸国では、政治学研究者が「遺産」に主にかかわっています。「遺産」は文化権（cultural rights）という人権にかかわる領域だからです。

　イタリアとスペイン、そしてポルトガルでは、フランスの「遺産（patrimoine）」と似たようなつづりのpatrimonioという言葉が遺産を意味する言葉として使われています。奇妙なことですが、これらの国々では、この遺産という概念が到来したのは漸く1970年代になってからでした。これらの国々は非常に観光が盛んな国ですので、「遺産」に携わっているのは観光業界や観光学の人々です。ブラジルも似たような感じです。このように国によって違うのです。また、これらはそれぞれの国でどの学問領域がもっともうまいやり方で遺産を社会とつなげられるかを示しています。

奥村　日本でも、観光関係者が関わっているところがありますね。

ションコイ　次の質問への答えですが、「文化財」という概念は、遺産の第二レジームの言葉です。「文化財」というのは、モノのことです。絵画、文書、財産、などなど。つまり「有形遺産」に属するものです。例えばイタリアなどのヨーロッパの国々では、200年間、すべてにつけて、「遺産」とは何かを定義してきました。例えば、イタリアには「ベニ・クルトゥラーリ（beni culturali）」という文化財を意味する言葉が、1970年代まで法的に主流として存在していました。しかし、「遺産」という考え方が登場した後は、「文化財」という概念は「遺産」の一部に統合されました。もちろん、1990年代から2000年代初頭にかけての時期には、多くの国では不正な持ち出しを避けるために「文化財」が登録されていました。しかし、その後、「遺産」概念はより複雑化していきました。「遺産」と見なされる対象は有形物だけではなくなりました。例えば、「景観」や「自然」も「遺産」として認定されるようになりました。

　つまり、「遺産」というのは、「文化財」を統合しつつ、それよりももっと大きな枠組みなのです。

奥村　ありがとうございました。大変よくわかりました。

それでは、そろそろ時間ですので、終わりたいと思います。

ションコイ　非常に興味深い対話でした。ありがとうございました。

奥村　こちらこそ本当に面白く有意義な時間でした。ありがとうございました。滞在中は引き続き、よろしくお願いいたします。

あとがき

　本書の主軸をなす欧州委員会発行 *Innovation in Cultural Heritage Research*
の和訳事業は、2019 年度当時、来る 2020 年 8 月にポズナニで開催予定であっ
た国際歴史学会議において、奥村弘氏が同会議日本国内委員会の小澤弘明氏
とともにラウンドテーブルを企画していたこともあり、国際学会等での報告
準備の一環としての位置づけが大きかった。国際学会への報告に向け、一通
りの和訳はオーストリア＝ハンガリー帝国史を専門とし英語に堪能な根本
峻瑠氏にお願いした。

　しかしながらこうした矢先、新型コロナウイルス感染症の世界的流行が
発生した。ポズナニでの国際歴史学会議は延期となり、研究成果の国際的
発信はおろか、2020 年度前半は国内での学会等も多くが中止された。しば
らくして学会・研究会の開催はオンラインに移行したものの、依然として
国際交流は非常に困難・不安定であったことは記憶に新しい。*Innovation in
Cultural Heritage Research* の筆者の一人であるションコイ・ガーボル氏の来
日も 2020 年度内に予定されていたが、これも延期となった。

　このような状況下であったものの、ヨーロッパにおける文化遺産保
存・活用の最新の研究成果を理解し、今後の研究につなげていくために、
Innovation in Cultural Heritage Research の日本語訳の読み合わせを進めてい
くことにした。第 1 回目の実施は 2020 年 7 月、学生のいない閑散とした文学
部の小会議室に奥村・根本両氏と私の 3 人が集まり、おおよそ 1 節を目途に
和訳を読み上げ、和訳の仕方や解釈、また内容に対する疑問点や興味を持っ
た点など、ざっくばらんに議論し合った。以降、同様の方法で月 1 回程度
の頻度で読み合わせを進め、2021 年 3 月には、和訳暫定版が出来上がった。
さらに、ハンガリー近世・近代史を専門とする市原晋平氏には、ハンガリー
語で執筆されたションコイ氏の論文を和訳していただき、報告書の内容理解
の大きな助けとなった。さらに、市原氏にはションコイ氏との連絡を一手に
担っていただいた。

　2021 年度も新型コロナウイルス感染拡大は収まることなく、2021 年 8 月

に延期されていた国際歴史学会議は再び延期となり、同様に 2021 年度中に延期されていたションコイ氏の来日も再延期となった。一読して分かるとおり、「文化遺産研究の革新に向けて」はたんなる事実・事例の報告にとどまらず、歴史認識や文化遺産を取りまく価値観の時代的転換といった歴史理論にかかわる叙述もすくなくない。そのため、文章それ自体の理解・解釈に加え、それらをどのように日本語で表現するか苦心する点もあった。そのため、私たちは執筆者本人であるションコイ氏との意見交換を希望していたのだった。ションコイ氏との対面での意見交換などは諦めざるを得ない状況にはなったものの、和訳に際しての疑問点等を書面でションコイ氏にお送りし、丁寧な回答をいただくことができたことに加え、オンラインでの座談会にもションコイ氏は快く応じて下さった。

　2022 年度になってようやく、再延期された国際歴史学会議が開催され、小澤・奥村両氏が組織するランドテーブルでは、ションコイ氏から報告に対するコメントをいただくことができたが、ここでの報告においては、これまでの和訳の取り組みが活きたのではないかと思う。さらに、9 月にはションコイ氏の来日も実現し、今度は対面での座談会を開催することができた。本書和訳にかかわる意見交換の枠をこえ、欧州や日本の文化遺産をめぐる問題についてさまざまな議論を交わすことができ、非常に貴重な機会であった。

　本書は以上の取り組みをまとめ、「文化遺産研究の革新に向けて」「『文化遺産』と歴史学の関係の定義」、2 回にわたる座談会を理解する上で重要となるションコイ氏の「文化遺産」論について、市原氏執筆による解題を収載した。

　2020 年に始めた和訳の読み合わせ会は、日本近世史を専門とし、それまであまり欧州の文化遺産研究や文化遺産政策などに馴染みのなかった私にとって、とても新鮮であった。イメージしていたよりも欧州と日本の文化遺産をとりまく課題が近しいことがわかる一方、遺産概念・遺産の価値やそれと深くかかわるヨーロッパという領域の問題など、欧州に特徴的な動向は毎

回興味深く読んだ。

　読み合わせを開始した当初は、このように図書出版が実現するとは考えてもいなかった。さまざまな時宜や人との巡り合わせのお陰であろうと思う。

　本書作成にあたっては、著者のションコイ・ガーボル氏には多くのお願いを聞いていただき、多大なご高配をたまわった。「文化遺産研究の革新に向けて」共著者のタニヤ・ヴァフティカリ氏にもその翻訳を快く承認していただけた。また、同報告書の翻訳許可に関しては、ゾルターン・クラスナイ氏を始めとする欧州委員会研究・イノベーション総局関係者の方々にお世話になった。雑誌『Korall』編集部の方々には、「『文化遺産』と歴史学の関係の定義」の翻訳・掲載をご快諾いただいた。また、科研費補助金特別推進研究「地域歴史資料学を機軸とした災害列島における地域存続のための地域歴史文化の創成」研究グループのメンバー、特に内田俊秀氏・後藤真氏・天野真志氏には大変よくお世話になった。心より厚くお礼を申し上げる。

2023 年 2 月　　加藤明恵

謝　辞

　本研究は、JSPS 科研費 19H05457「地域歴史資料学を機軸とした災害列島における地域存続のための地域歴史文化の創成」の助成を受けたものです。

著・訳者紹介

ションコイ・ガーボル　Sonkoly Gábor　本書 p.100 参照

奥村　弘（おくむら・ひろし）
　神戸大学大学院文化学研究科博士課程退学。京都大学人文科学研究所助手、神戸大学文学部助教授、教授、人文学研究科長を経て 2021 年 4 月より神戸大学理事・副学長。

根本峻瑠（ねもと・たける）
　神戸大学大学院人文学研究科博士後期課程修了。博士（学術）。神戸大学大学院人文学研究科学術研究員。翻訳業、講師業。

市原晋平（いちはら・しんぺい）
　神戸大学大学院人文学研究科博士後期課程修了。博士（文学）。在ハンガリー日本国大使館専門調査員などを経て、2021 年より神戸大学大学院人文学研究科助教（人文学推進インスティテュート担当）

加藤明恵（かとう・あきえ）
　神戸大学大学院人文学研究科博士後期課程修了。博士（文学）。2018 年より神戸大学大学院人文学研究科特命助教。

ヨーロッパ文化遺産研究の最前線

2023 年 3 月 31 日　初版第 1 刷発行

著・訳者　ションコイ・ガーボル　奥村弘
　　　　　根本峻瑠　市原晋平　加藤明恵

発行　神戸大学出版会
　　　〒 657-8501　神戸市灘区六甲台町 2-1
　　　神戸大学附属図書館社会科学系図書館内
　　　TEL　078-803-7315　FAX　078-803-7320
　　　URL: https://www.org.kobe-u.ac.jp/kupress/

発売　神戸新聞総合出版センター
　　　〒 650-0044　神戸市中央区東川崎町 1-5-7
　　　TEL　078-362-7140　FAX　078-361-7552
　　　URL: https://kobe-yomitai.jp/

印刷　神戸新聞総合印刷

落丁・乱丁本はお取替えいたします
©2023, Printed in Japan
ISBN 978-4-909364-20-3 C3020